増補新版

# 死ぬのは、こわい？

徳永 進

よりみちパン！セ

# 増補新版　死ぬのは、こわい？

もくじ

# いのちって、湧《わ》くこと

## 夢二《ゆめじ》と夜中の道へ

夢二《ゆめじ》、じゃあ行こう、原っぱの診療所《しんりょうじょ》に。わかってるよ、君が病気じゃないのは。さあ乗って、ぼくが自転車こぐ。君は後ろに。おまわりさん？　心配するなよ、こんな夜更《よふ》け、おまわりさんだって眠《ねむ》ってるよ。重いな、太り過《す》ぎてない？　何だか息切れするよ、心臓《しんぞう》もたくさん打ってる。そうだよ、俺《おれ》、年だよ。

年でも生きてるもんね。一人で乗ってるのとは、やっぱり、違《ちが》うもんだね。

なんで、そんな診療所《しんりょうじょ》建《た》てたのかってかい。そりゃあ、夢《ゆめ》だったから。君といっしょ、夢二。いつって、いつなのかははっきりとはわからない。でも高校二年生の時、あることを思った。そのことが心の中で生きてたんだろな。でもずうっとその夢《ゆめ》を心で暖《あたた》めてた、というのでもない。諦《あきら》めたり、忘《わす》れたりしてたわけじゃないけど、そんなに意識《いしき》してなかった。いつごろからか、土の中にあった種《たね》から根が出て、芽《め》が出てみたいになったんだろうね。ところで、中学二年生の夢二には、どんな夢《ゆめ》あるの？　答えたくない？　夢二の夢《ゆめ》聞くなんてヤボだよな。それでいいよ。大人は何でも聞きたがる。そりゃああった方がいいよ。だって、馬の人参《にんじん》みたいなもんで、とりあえずそれに向かって走れる、生きていけるもんな。いやゴメン、夢《ゆめ》を人参《にんじん》にしたのはちょいマズイ。でもね、なんで生きてるの？　と聞かれて、本気で答えようと思うと、なかなか難《むずか》しい。そこにとりあえずの夢《ゆめ》があれば、とりあえずの返答ができるもんね。人生、とりあえずだよ。

でもね、大事なことがある。それはね、湧《わ》くってこと。嘘《うそ》の夢《ゆめ》は長続《ながつづ》きしない。先生や親から命令《めいれい》されたり、押《お》しつけられた夢《ゆめ》は、いずれほころびる。自分の中で湧《わ》い

たものは長続《ながつづ》きするし、育っていく可能性《かのうせい》があると思う。夢《ゆめ》でもそうだけど、夢《ゆめ》でなくても湧《わ》くってことが、一番大切なことだと思う。命っていうのはね、どう生きようかって頭で考えていようがいまいが、とにかく拍動《はくどう》してるもんでね、そこに命の泉《いずみ》みたいなものがあって、そこで湧《わ》いてる限《かぎ》り、命は在《あ》るよ。ダ液《えき》だって湧《わ》く、ムラムラとした気持ちだって湧《わ》く。あの人に会ってみたい、あの山に登ってみたい、海にもぐってみたい、旅に出てみたい、何でもいい、湧《わ》けばどれだって、すごい命だよ。だって湧《わ》かなくなるんだ、誰《だれ》でも。人でなくても動物でも植物でも。命って、湧《わ》くっていうこと、死って、湧《わ》かないってこと、だよ、違《ちが》う?

## なぜ死に花は似合《にあ》うんだろう

大通りも車はあまり走ってない。鳥取《とっとり》は田舎《いなか》だからな。県庁所在地《けんちょうしょざいち》でこんな静《しず》かなとこ、滅多《めった》にないよ。夜更《よふ》けだから、もう明かり消してる家もあるけど、あの家とかこの家とかは、住んでる人いない。夕方にも明かりついてないもんね。一人住まいのおじいちゃん、おばあちゃんで、息子《むすこ》さんや娘《むすめ》さんのいる名古屋《なごや》や静岡《しずおか》に引《ひ》っ越《こ》しちゃった。家もずうっと生きてる、というわけにはいかない。死んでる、とは断定《だんてい》できないけど、仮死状態《かしじょうたい》って言えるかもしれんね。このお菓子屋《かしや》さんを左に曲がるよ、ここ、隣《となり》が保育園《ほいくえん》、このうち、ここにもおばあさんが一人で住んでいた。病気は肝臓癌《かんぞうがん》。総合病院《そうごうびょういん》で治療《ちりょう》をして、そのあとぼくの診療所《しんりょうじょ》にやってきた。お花の先生でね。でもぼくが梅雨《つゆ》のころに、庭に咲《さ》いた夏椿《なつつばき》を一輪《りん》持っていったら、その日は「まあきれい」と言ってくれたのに、次の日行ったら「なんのことでしたか」ってね。物忘《ものわす》れ、痴呆症《ちほうしょう》、今は認知症《にんちしょう》っていう。こわくないかって、大丈夫《だいじょうぶ》、大丈夫《だいじょうぶ》。人間って、いや老人《ろうじん》ってみんなそんなもん。病をかかえて、アルツハイマー病になって、でも一人で自分の家で、ヘルパーさんや訪問看護師《ほうもんかんごし》の世話になりながら、みんな生きてるよ。しぶとい？　そんな言い方当たってるけど失礼《しつれい》だよなあ。

ちょっとここで一休み。降《お》りる？　じゃあ、自転車まかすよ。歩きながら行こう。結構冷《けっこうひ》えるもんねえ。ちょっと狭《せま》い路地に入るよ。もうみんな寝《ね》てるよね。この裏通《うらどお》り、昔はにぎやかだったんだって。スナック、バーで。今は閑散《かんさん》。その閑散通《かんさんどお》りのこのお店、この花屋さん、ここで花を買うんだ。患者《かんじゃ》さんが亡《な》くなるでしょ。うん、よく亡《な》くなるんだ、ぼくの診療所《しんりょうじょ》。がんなんかで、残《のこ》された日々がそんなに長くない人たちが入院しに来てくれるんだ。で、亡《な》くなるでしょ。その時花を買って、その人の上に置《お》く。なぜって、そうなぜだろう。死がそこにある、その上に花を置《お》く。なぜだか溶《と》け合《あ》う、というか似合《にあ》う、というんかな。片方《かたほう》に死、もう一方には花という生命。その対比《たいひ》、というんじゃないなぁ、でも花は、まるで、死を慰《なぐさ》めるかのような働《はたら》きを持ってる。死の悲しみを花が包《つつ》む。

その花をこのお店に買いにくる。おやじさんが、鼻メガネで座《すわ》っている。朝は七時から夜は十時くらいまでだと、買える。亡《な》くなった患者《かんじゃ》さんに似合《にあ》う花は何だろうって、花屋で花を見ながら考える。ぴったりの花があった時はうれしい。おかしいね、人が亡《な》くなってるのにうれしいって。その角を左に曲がろう。また大通りに出る。あそこの橋の上に行こう。

花屋

# 命は星と友《とも》だち、違《ちが》う？

寒いね、風が吹《ふ》いてるもんね。でも真冬の北の風、こっちの方向に日本海があるんだ、その海の方から風が吹《ふ》くと、診療所《しんりょうじょ》の自転車置《お》き場《ば》の自転車は、全部南を向いて倒《たお》れる。いやそんなことはどうでもいいんだ、すっごく寒いよ。あれ見てよ、オリオン座《ざ》だよ。やっぱり冬の星座《せいざ》だね。オリオン座《ざ》の左上の星がベテルギウス、その左下にこいぬ座《ざ》のプロキオン、その下に輝《かがや》いているのが、おおいぬ座《ざ》のシリウスだよ。これが冬の三角形。星っていいね。夜、誰《だれ》もいなくても、空を見ると星、何か遠くに在《あ》るっていいね。

星なんか、ぼくに何もしてくれない。お金もくれないし、手紙も電話もくれないし、寝込《ねこ》んだ時に、熱《あつ》い牛乳《ぎゅうにゅう》を持って来てもくれやしないのに、あそこにいて輝《かがや》いている、というだけで、心に届《とど》くものがあるね。その星のことで思ったことがいくつかあってね。ひとつは、オリオン座《ざ》を夏に見た時のこと。夜明け近くだった、東の空にオリオン、びっくりした。冬の星がなぜ晩夏《ばんか》にって。でね、決めつけちゃいけないって思った。時と場合《ばあい》によってはいろんなこと有りだって。昼だって、ただ見えないだけで、星々は宙《ちゅう》のかなたに有り続《つづ》けているもんね。

もうひとつ、星のことで教わったことがある。町のメガネ店の屋上に、大きな天体《てんたい》望遠鏡《ぼうえんきょう》があってね、それで見せてもらったよ。「あの星は生まれた赤ちゃんの星、こっちのあの星は死んでる、死星です」。そうか、星にも生死ってあるんだ、と教わった。でもね、どうしてなんだろうね、星を見てると、なんだか慰《なぐさ》められる。生きてる星も死んでる星も、なんだか慰《なぐさ》めてくれる。

宇宙《うちゅう》に自分はひとりじゃないって納得《なっとく》する。星があるっていうこと、そのことと、自分が生命の一つを今もらっているということ、すっごくつながってると思う。星がなかったら、きっとぼくも君も生きてない。違《ちが》う？　夢二はどう思う？

# 診療所《しんりようじよ》に着いたぞ

さあもう少しだ。またこの狭《せま》い路地だよ。いや違《ちが》う、そこを曲がるんじゃなくて、そうそこ、そこを右へ曲がろう。こんな迷路道《めいろみち》、どうやって患者《かんじや》さんが辿《たど》り着《つ》けるかって心配だよね。でも、なんとかやってきて下さるよ。

簡単《かんたん》に言うと、大通りは土地代が高くて買えなかった。だから迷路道《めいろみち》。空き地があったんだ。その空き地に、水仙《すいせん》や、ネジ花、踊《おど》り子草《こそう》、タンポポ、ナデシコ、あざみ、それにフキにミョウガ、ビワやイチジクがあって、いい雑草地《ざつそうち》だな、って思った。まわりには家やアパートがあって、人々は暮《く》らしている。自然《しぜん》と人の暮《く》らしの両方があるなって思ったわけ。それでこの土地にぼくの診療所《しんりようじよ》を建《た》てよう、と思った。思ったのはもう五年前のことだよ。建《た》ってからだと四年。

くねくねしてるでしょ、この道。どう考えてもアジアの道だよね。

さあ着いたぞ。明かりが灯《とも》ってるところ、あれ病室。消えてる部屋《へや》もあるね。もう、みんな寝《ね》てる。でも病気の重い人もいるから、起きてて、唸《うな》り声《ごえ》を出してる人もいるかも知れないな。えっ？　ああ、診療所《しんりょうじょ》の名前？「野の花診療所《しんりょうじょ》」っていうよ。十九床《しょう》のベッドがあるよ。そうっと、あがってみようか。じゃあ、そこに自転車、止めておいて。あがるよ。

# 悲しくないけど、悲しい

## 海の小石

夢二、診療所《しんりようじょ》の中に入るぞ、ついてこいよ。「あっ」。しいっ。びっくりするじゃないか。センサーで明かりがついたんだよ。『野の花診療所《しんりようじょ》』どうだい、いい看板《かんばん》だろ。「べつにー」。ガクッ、まあ、そんなもんか。ぼくには宝物《たからもの》、いのちさ。この字を書いてくれた人、ぼくの恩師《おんし》。担任《たんにん》でもないし、その先生の試験《しけん》も受けたことないし、でも恩師《おんし》。恩師《おんし》って、勝手に作っていいのか、ってかい。いいんだよ、市役所に届《とど》けもいらないし、税金《ぜいきん》もかからんし、いいんだよ。夢二に恩師《おんし》って、いる？　まあ中学二

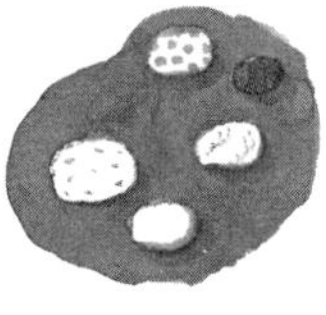

野の花
診療所

年で恩師《おんし》はちと早いか。うーん、恩師《おんし》なんて必要《ひつよう》か、ってかい。あった方がいい。恋《こい》人《びと》がいる方がいいみたいなもんで、いやちょっと違《ちが》う。恋人《こいびと》とは別《わか》れが待ってるが、恩師《おんし》に別《わか》れはないよな、いやそうじゃなくて、あった方がいいよ。先方の許可《きょか》なんていらないよ、こっちが勝手に決めるだけだから。

その人はね、「人を殺《ころ》すな」って教えてくれたんだ。「もし捕虜処刑《ほりょしょけい》の場に立たされて、『捕虜《ほりょ》を殺《ころ》さねば、お前を殺《ころ》す』って上官《じょうかん》に言われたら、捕虜《ほりょ》に向けた刃《は》を自分の方に向ける」って言ったんだ。それだけじゃなくて、いっぱい、びっくりするようなこと言うんだよ。いつも笑《わら》いながらそんなこわいことを言うんだよ。すごいと思った。この人を恩師《おんし》にしようって決めた。それでその人の家に頼《たの》みに行ったんだ。京都。「診療所《しんりょうじょ》の看板《かんばん》の字書いて」って。ぼくのいのち。

みんな寝《ね》てるよ。そうっとしのび込《こ》むぞ、ついてこいよ。夢二に宝物《たからもの》ってある？　ある、何？　ポケットに？　何が？　へえ、そんなもん持ってるの。ブナの実、そっちは？　海の石、小《ち》っちゃいね。暗くて見えないけど、面白《おもしろ》いもの持ってるね。そうだな、夢二のブナの実や海の小石が、ぼくには看板《かんばん》とか、それから、これから行く所々にあるものってことかな。

## 「悩《なや》みたいなあ」

ここは図書室。いや、まだ本は揃《そろ》ってない、ただ、置《お》いてあるだけ。夢二、本を読む？　そうか、ぼくもあまり読んでこなかった。でもいつかいろんな本、読みたいって思う。本って、すごいことに出会う場、って思ってる。すごい言葉に出会う、考え方が変《か》わる、生き方が変《か》わる、いや生きる道が浮《う》かんでくる。そんなきっかけさえ本は持ってるよ。これ？『それでも人生にイエスと言う』。これもいい本だよ。〈悩《なや》みを悩《なや》む〉という一行にドキッとしたよ。ナチスの捕虜《ほりょ》だったんだ、フランクルっていう人。精神科医《せいしんかい》で収容所《しゅうようじょ》から生きて帰ってきたんだ。もう殺《ころ》されるんだ、死ぬんだなって思った時、普段《ふだん》はいやだと思っていた日常《にちじょう》の悩《なや》み、家族や友人とのトラブル、どう生きたらいいのか、この仕事をどう片付《かたづ》けるか、そんな悩《なや》みを悩《なや》んでみたい、という思いにかられたって書いてあった。悩《なや》みたいなあって、悩《なや》みを悩《なや》むという喜《よろこ》び、意味、そんなことを教えられた。いや、そんな硬《かた》い本ばっかりじゃないよ。旅の本、料《りょう》理《り》の本、野《や》草《そう》図《ず》鑑《かん》、絵本にサザエさん、写真集もいいしね、古《こ》寺《じ》巡《じゅん》礼《れい》も。ほんとは、患《かん》者《じゃ》さんたちがここで、何かに出会ってもらえたらって思ってる。いのち、宇《う》宙《ちゅう》のいのち、人のいのち、言葉のいのち。逆《ぎゃく》に図書室は、診《しん》療《りょう》所《じょ》の宝《たから》、診《しん》療《りょう》所《じょ》のいのちさ。

ポケットには入らないけど、ぼくのいのちさ。

ゆくぞ、夢二。お便《べん》所《じょ》行かなくていい？　ここがお便《べん》所《じょ》。じゃあ通《とお》り過《す》ぎて診《しん》察《さつ》室《しつ》、電気つけるぞ。「わあー」。しいっ、びっくりするじゃないか。ここで患《かん》者《じゃ》さんを診《み》る。一《いち》応《おう》、お医者さんだから、体重測《はか》って、血《けつ》圧《あつ》測《はか》って、超《ちょう》音《おん》波《ぱ》検《けん》査《さ》があって。いや、今でも思い出すな。ぼくが中学二年生の時、文化祭でニセ医者の役をしたことあるんだ。白《はく》衣《い》も聴《ちょう》診《しん》器《き》も額《がく》帯《たい》鏡《きょう》もクラスメイトのお父さん、その人が医者でね、それを借《か》りて、ぼくは、はいこれを飲んだら治《なお》るからって、メリケン粉《こ》を丸めてポイと口に投げるニセ医者の役。あの時と今と、変《か》わらんのじゃないかって思う。「患《かん》者《じゃ》さん、大《だい》丈《じょう》夫《ぶ》？」

患者《かんじゃ》さん、大丈夫《だいじょうぶ》だよ、大丈夫《だいじょうぶ》、多分ね。

ほらここにね、先輩《せんぱい》の精神科医《せいしんかい》のメモが貼《は》ってあるだろ。――医療《いりょう》はやさしさだけでは成《な》り立《た》たない。臨床《りんしょう》は迷《まよ》い迷《まよ》いの迷《まよ》い道《みち》。患者《かんじゃ》や家族の言葉をうのみにするな。患者《かんじゃ》だけをみていても、患者《かんじゃ》はみえない。時には患者《かんじゃ》の傍《かたわ》らにただ黙《だま》って待ちひかえる。病気は治《なお》ればいいというものではない――

ちょっと難《むずか》しいかも知れん。夢二にはチンプンカンプンだろなあ。でもぼくには宝《たから》、いのちさ。えっ、大人ってこんなに進歩しないのかって、大きくなっても全《すべ》てがわかるんじゃないのかって、じゃあいつ、全《すべ》てがわかるようになるのかってか。その答え、ちょっと難《むずか》しい。いいとこ突《つ》いてくるじゃん。「患者《かんじゃ》の傍《かたわ》らにただ黙《だま》って待ちひかえる、が気に入った」。夢二、すごいよ、そこのところがわかるなんて、中学二年で、わかってるじゃん。えっ、ただ気に入っただけって、いいよそれで、すごいよ。電気消すぞ、次へ行くぞ。

## いい顔ってあるよ

「なにこれ?」。ロケット弾《だん》みたいだろ。CTって言うんだ。コンピューター断層撮《だんそうさつ》影《えい》器《き》。これで調べると、体の内部がよくわかるんだ。脳《のう》も肺《はい》も肝《かん》、膵《すい》、腎《じん》もよく見える。なんでこんな機《き》械《かい》持ってるのかってかい。そうだよな、死に向かっていく人を支《ささ》えるために作った診《しん》療《りょう》所《じょ》に、なんでCTが要《い》るのか。ひと言で言うと誤《ご》診《しん》が減《へ》る、癌《がん》の成《せい》長《ちょう》、転《てん》移《い》がわかる、胸《むね》やおなかに貯《ちょ》溜《りゅう》した水が見える、これじゃひと言じゃないな。とにかく、患《かん》者《じゃ》さんのために役立つ。CTって、とても有《あり》難《がた》い。もちろんもっといい機《き》械《かい》は病院にあるよ。でも、これでも十分なんだ。

「この大きなスピーカーは?」。いや、よく気《き》が付《つ》いたね。それね、昼間はCTの機《き》械《かい》音《おん》が響《ひび》いてるけど、夜中は機《き》械《かい》を止めるから静《しず》かなんだ。それで隅《すみ》にCDのプレイヤーがあって、あの大きな二つのスピーカーから音が流れるようになっている。職《しょく》員《いん》の中に「CT室」と呼《よ》ばずに、「CD室」と呼《よ》んでる奴《やつ》がいるくらいだよ。ちょっとかけてみるよ。

「わあー」。ごめん、ちょっと大きかった。よく響《ひび》くだろ。これ、喜多郎《きたろう》のシルクロード。一か月前、ここでワイン飲みながら、持《も》ち込《こ》んだソファーにもたれて、ジャズやビートルズやフォークを聞いていた患者《かんじゃ》さんがいたよ。亡《な》くなったよ、五十六歳《さい》。膵臓癌《すいぞうがん》だったけどね。彼《かれ》、いい顔してた。音楽聞く時や、ブランデー飲む時だけじゃなくて、苦しい時も、おなかが張《は》って腹水抜《ふくすいぬ》く時も、いい顔。いい顔っていうと失礼《しつれい》かなあ、ずうーっと、自然《しぜん》な顔でなんだか忘《わす》れられないなあ。人間って、あんないい顔できるんだなあ。CT&CD室、出るぞ。しのび足、さし足、しのび足。

## 人って、亡《な》くなる

階段《かいだん》の登り口の手前、ここに大きなメモリアルボードがあるんだ。ペンライトで照《て》らすよ。「名前?」。そう、人の名前だけが、ただ書いてある。亡《な》くなった人、そうでない人の名前も書いてある。四年なんだけどね始まってから、三百人以上《いじょう》の人たちが

亡《な》くなったよ。「そんなに？」。そう、亡《な》くなるんだよ人って。人じゃなくても亡《な》くなるけど、人は亡《な》くなる。夢二、それだけはほんとうのことだよ、人って亡《な》くなる。ぼくの仕事って、そのことを確認《かくにん》する仕事なんだ。「悲しくない？」。ドキッ。そう聞かれてドキッとした。慣《な》れてしまった、ということは否定《ひてい》できないけど、そんなに悲しくない。悲しくないことないけど、悲しくない。どういうんだろう、あっ、危《あぶ》ない。階段《かいだん》につまずいたよ。「これは？」。ああ、これ、よく気がついたね。亡《な》くなった和《お》尚《しょう》さんが、入院した日に持ってきてくれた横長の額《がく》だよ。お寺に埋《う》もれてたって、宮《みや》沢賢治《ざわけんじ》の〈雨ニモマケズ〉。この詩のここが好《す》きなんだ、〈東ニ病気ノ子供《こども》アレバ 行ッテ看病《かんびょう》シテヤリ 西ニツカレタ母アレバ 行ッテソノ稲《いね》ノ束《たば》ヲ負イ 南ニ死ニソウナ人アレバ 行ッテコワガラナクテモイイトイイ〉。まるでぼくの仕事のような気がする、この賢治の東西南って。

ちょっと待って、夢二。携帯電話《けいたいでんわ》の振動音《しんどうおん》が鳴《な》ってる。二階に上がらないで、階段《かいだん》降《お》りて、図書室で待ってて。「はい、救急隊《きゅうきゅうたい》から電話？ どうぞつないで。もしもし、はい、はい。どうぞ来て下さい、はい」。夢二、救急車《きゆうきゆうしや》が来《く》るって。診療所《しんりようじよ》に通ってるおばあさんが息苦しくなって、救急車《きゆうきゆうしや》で来《く》るって。滅多《めつた》にないんだけどね、処置室《しよちしつ》で準備《じゆんび》しよう。さあ行くぞ、ついてきて。

# 救急車《きゅうきゅうしゃ》が来た、霊柩車《れいきゅうしゃ》が来た

## トラさん紫色《むらさきいろ》

「ピーポー、ピーポー」。救急車《きゅうきゅうしゃ》は意外に早く着いた。救急車《きゅうきゅうしゃ》の屋根から光がくるくる飛《と》び出《だ》す。隣《となり》の家やガレージの天井《てんじょう》が照《て》らし出される。ストレッチャーが降《お》りてきた。ストレッチャーに乗ってるのは七十八歳《さい》の、島田《しまだ》トラさんだ。肺気腫《はいきしゅ》があるのにタバコが止《や》められない。足がむくんでいるのに利尿剤《りにょうざい》を飲んでくれない。顔を見ると紫色《むらさきいろ》だ。「トラさーん」、返事はない。これは危《あぶ》ない、とぼくは直感する。

「処置室《しょちしつ》に運んで下さい。とりあえず挿管《そうかん》します。隊員《たいいん》の皆《みな》さんは帰らないで下さい。

このまま、総合病院《そうごうびょういん》の方へ搬送《はんそう》して欲《ほ》しいので。とにかくまず挿管《そうかん》と、血管確保《けつかんかくほ》しますので」。ぼくは救急隊員《きゅうきゅうたいいん》に説明《せつめい》する。夢二、ついてきて、処置室《しょちしつ》に。

「挿管《そうかん》チューブ、マッキントッシュ、それに吸引《きゅういん》の用意、酸素吸入《さんそきゅうにゅう》を用意して」とぼくは看護婦《かんごふ》さんに言う。「点滴《てんてき》ラインはそのあとで確保《かくほ》します」。トラばあさんの体におこったことは肺炎《はいえん》か心不全《しんふぜん》かのどちらか。痰《たん》が黄色で粘《ねば》いなら肺炎《はいえん》、さらさらで白かピンクなら心不全《しんふぜん》。トラさんの呼吸《こきゅう》は緩徐《かんじょ》になる。止まりそうになる。体はぐたーとして力が抜《ぬ》けていきそうだ。「夢二、見える？　あれが声帯《せいたい》、空気の出入り口、見える？」。そうっと挿管《そうかん》チューブを挿入《そうにゅう》する。わあ、ピンクのさらさらの痰《たん》だ。「カフに空気8ccを入れて」、「テープで固定《こてい》して」「アンビューバッグをつなぐよ」。「これをこうやってギュッとつまんだり放したりして」と夢二に言った。驚《おどろ》きながら、夢二はアンビューバッグを押《お》した。「そう、もう少し、強く押《お》して」

点滴《てんてき》も入り利尿剤《りにょうざい》も入って、救急車《きゅうきゅうしゃ》に戻《もど》って、総合病院《そうごうびょういん》の集中治療室《しゅうちゅうちりょうしつ》へ向かうことになった。夢二も同乗《どうじょう》した。夢二、救急車《きゅうきゅうしゃ》に乗るの、生まれて初《はじ》めてらしい。「脈《みゃく》、

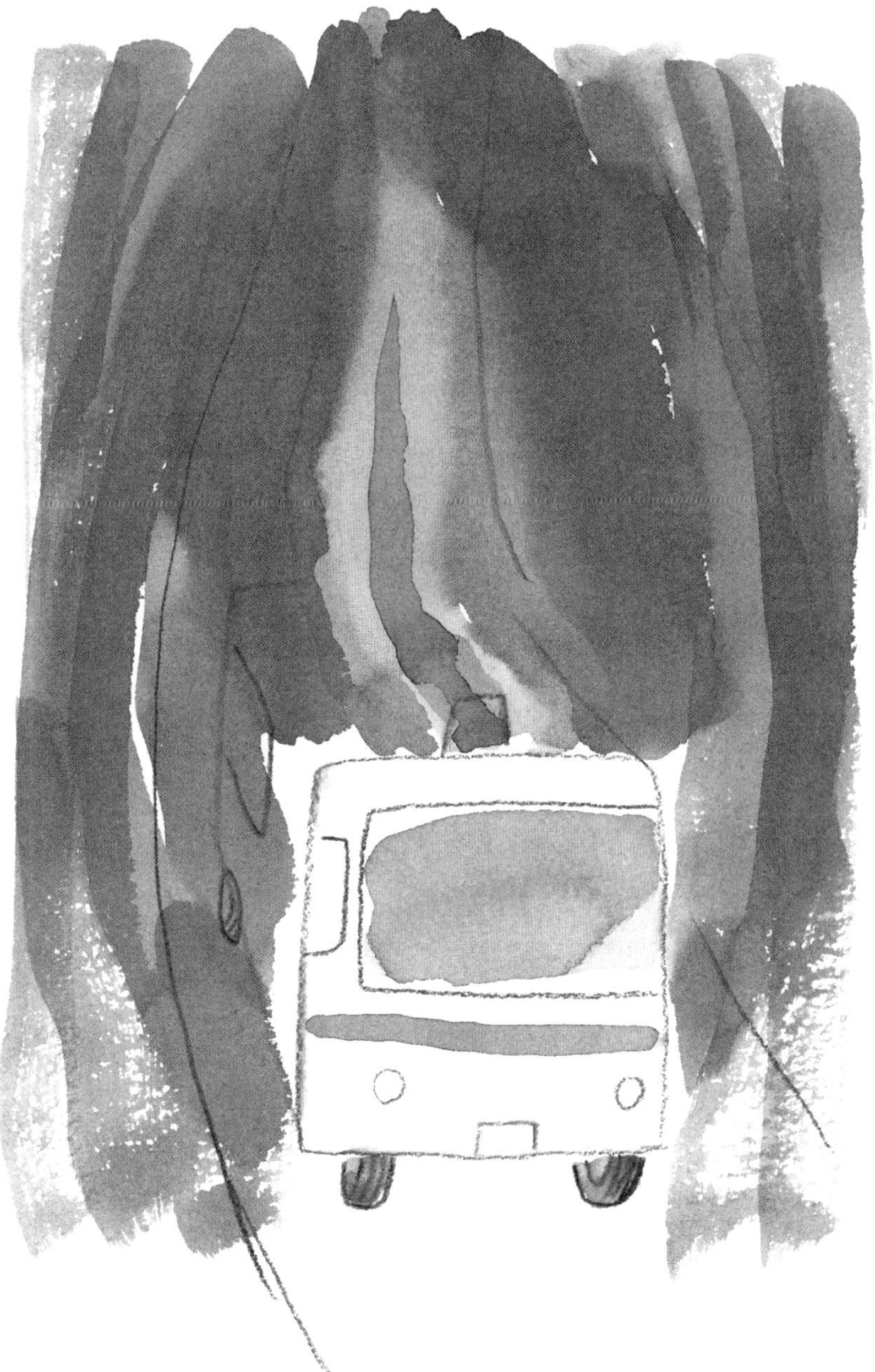

触《ふ》れてます。心電図モニターを装着《そうちゃく》します。酸素濃度《さんそのうど》をモニターします」救急隊員《きゅうきゅうたいいん》の動きもてきぱきしている。「はい、日赤病院《にっせきびょういん》、診療所《しんりょうじょ》出ました。当直医連絡済《れんらくず》み、了解《りょうかい》」。無線《むせん》での通信《つうしん》もしっかりしている。

初《はじ》めての夢二は、きょろきょろして車内を見ている。明るい車内、モニター画面がくっきりしている。酸素《さんそ》の設備《せつび》、除細動器《じょさいどうき》にベッド機能《きのう》に点滴台《てんてきだい》などなど、狭《せま》い中がこんなに充実《じゅうじつ》してるんだ、と夢二驚《おどろ》いている。救急隊員《きゅうきゅうたいいん》がアンビューバッグを押《お》し続《つづ》け、救急車《きゅうきゅうしゃ》は病院に着いた。トラさんの色、少しは戻《もど》ったが、まだまだ危険《きけん》だし、何しろまだ「トラさーん」と大声で呼《よ》んでも返事がない。

ICU（集中治療室《しゅうちゅうちりょうしつ》）のドクターが救急室《きゅうきゅうしつ》で待っててくれた。「はい、引き受けましたから」とバトンタッチしてくれた。「よろしくお願《ねが》いします」と一礼した。「タクシーで帰ろう、夢二」。トラさん、無事《ぶじ》に復活《ふっかつ》してくれるように、と祈《いの》って病院を出た。

## 頭がピーポー

診療所《しんりょうじょ》に帰ってくると、診療所《しんりょうじょ》には、いつもの静《しず》けさが戻《もど》っていた。大抵《たいてい》の病室の灯《ひ》は消えていたが、明かりがポツンと灯《とも》っている部屋《へや》もあった。二階の病室に上がる前に、ちょっと一休憩《ひときゅうけい》したくなった。だって、バタバタして、緊張《きんちょう》したもんな。あんなこと、いつもいつもあるわけないもんな。ちょっと一杯《いっぱい》、紅茶《こうちゃ》を飲んで、それから病棟《びょうとう》に行ってみようか。

紅茶《こうちゃ》を飲んでいると、ポツリと夢二が聞いてきた。この診療所《しんりょうじょ》は死んでいく人をみているのだから、救急車《きゅうきゅうしゃ》が来てびっくりした。どうしてトラさんは死なしてあげないの。他《ほか》の人は死なしてあげるのに、って聞いてきた。ぼくは答えた。「うーん」。これじゃあ答えになってないけど「うーん」でねばった。だって即答《そくとう》しにくいんだもん。えーと、ねえ。在《あ》る命はなるべく在《あ》り続《つづ》けるようにと努《つと》めるのが、医者や医療者《いりょうしゃ》の仕事、それは医療《いりょう》の原点みたいなもの。でも、残念《ざんねん》ながら、例《たと》えば進行したがんなんかで死が避《さ》けられない状態《じょうたい》を迎《むか》えた時には、苦しくないように手助けを皆《みな》でして、死が苦しくないように工夫《くふう》する。これも、もう一つの医療《いりょう》の原点。医療《いりょう》の現場《げんば》って、場合《ばあい》によっては真反対の考えが存在《そんざい》する、そういう場だと思う。誰《だれ》にでもいつでも、とにかく救命《きゅうめい》し、延命《えんめい》させるだけ、だと困《こま》ることがおこる。逆《ぎゃく》に、誰《だれ》にでもいつでも、安らかな死を、これだけでも困《こま》ることがおこる。言ってること、難《むずか》しいかなあ。臨床《りんしょう》にはいろんな病気やいろんな状態《じょうたい》があるもんね。対応《たいおう》もいろいろ。一種類《しゅるい》の病気だけを診《み》るっていうのは、病院とか診療所《しんりょうじょ》と言うより、収容所《しゅうようじょ》に近くなるもんね。ベルトコンベアのように、死への方法《ほうほう》が一つだけに決まってるって、やっぱりまずい。多種多《たしゅた》様《よう》が自然《しぜん》。だから、死を支《ささ》えたいと思ってる診療所《しんりょうじょ》に救急車《きゅうきゅうしゃ》、救命車《きゅうめいしゃ》と言った方がいいかな、そいつがやってくるって、いいとぼくは思ってるよ。夢二、こんな考え、変《へん》？　変《へん》なら変《へん》って言ってくれよ。日本にいると、何でもかんでも一ヵ所に集めることに誰《だれ》もが慣《な》れてきてるもんな。真反対のものがいっしょに在《あ》る、共存《きょうそん》している、これって、すごく大切だと、思うよ。純粋培養《じゅんすいばいよう》って、美しそうに見えるけど、危険《きけん》。結《けつ》局《きょく》弱いし、長続《ながつづ》きしないし、嘘《うそ》だもんね。人間が作った嘘《うそ》だよ、違《ちが》う？　あれ、ちょっと飛躍《ひやく》しすぎちゃったかな。救急車《きゅうきゅうしゃ》に乗ってこっちの頭がピーポー、になったのかも知れないね。ほんと、ピーポーだ。

## すごーい

もう夜中の一時を回ってるよ。どうりで静《しず》かだよね。病棟《びょうとう》、そうっと歩ってみようか。ゆっくりと1号室から夢二を案内《あんない》しよう。そう思った時、ポケットの携帯電話《けいたいでんわ》が振動《しんどう》した。「先生、15号室の高見遠子《たかみとおこ》のおばあちゃん、下顎呼吸《かがくこきゅう》が弱くなりました。家族の人もそろっておられます」と当直の看護婦《かんごふ》さんが言った。夢二、15号室だって、こっちだよ、ついてきて。

「あ、先生、早い」と看護婦《かんごふ》さん。「いたんだよ、病棟《びょうとう》に」。夢二、隅《すみ》の方で見てて、おばあちゃんの呼吸《こきゅう》を。十年前から全盲《ぜんもう》。それでも畑に出ていたし、台所にも立っていた。そして膵癌《すいがん》になり、末期《まつき》になった。腹水《ふくすい》がたまっておなかがふくらんでいた。

一週間に一回くらい腹水穿刺《ふくすいせんし》をしていた。「先生、もういいですよ。早《はよ》う楽にして下さいな。私《わたし》は、悔《く》いありません。父も母も見送りました。それより何より、息子《むすこ》を六歳《さい》で見送りました。息子《むすこ》のおる所に行きます、楽に行かせて下さいよ」と、二週間前には言っていた。ベッドの横にご主人、反対側《はんたいがわ》のベッドの横に息子夫婦《むすこふうふ》と娘夫婦《むすめふうふ》。手を握《にぎ》り、足をさすっていた。遠子ばあさんの下顎《したあご》を使った呼吸《こきゅう》、ゆっくり、ゆっくりになってきた。角膜《かくまく》の反応《はんのう》はない。昨日《きのう》の夕方に訪《たず》ねた時は「はい、ありがとう」と言ってくれていたのに。

「煎茶《せんちゃ》、持ってきました」ともう一人の看護婦《かんごふ》さんが病室に入ってきた。夢二はきょとんとしている。お盆《ぼん》にガーゼも乗っている。「ガーゼにお茶をひたして口唇《こうしん》をそうっと」と看護婦《かんごふ》さん。

「ごくろうさん」と息子《むすこ》が口唇《こうしん》を煎茶《せんちゃ》でぬらした。「おかあさん、ようがんばったよ」と娘《むすめ》さんは泣《な》いていた。「息子《むすこ》のとこに行っとれー」とご主人は煎茶《せんちゃ》ガーゼで遠子さんの歯をぬらした。遠子ばあさんの白い歯はとてもしっかりしていた。看護婦《かんごふ》さんも舌《した》に煎茶《せんちゃ》を乗せた。夢二も見よう見まねで遠子ばあさんの口唇《こうしん》をお茶のガーゼでそうっとふいた。呼吸《こきゅう》は止まった。ぼくは心音が聞こえないこと、息の音がしないこと、瞳孔《どうこう》にペンライトを当て、反応《はんのう》がないことを確《たし》かめて、亡《な》くなったことを告《つ》げた。夜中の二時十三分だった。「これ、生前、母がこの日のために自分で縫《ぬ》ってました」と、娘《むすめ》さんがクローゼットから取り出した。白いネルの装束《しょうぞく》。全盲《ぜんもう》でありながら、自分の死後にまとう衣装《いしょう》を用意していた人への敬意《けいい》が、ぼくの中に湧《わ》いてきた。すごーい。「ね、夢二、すごいだろう」。夢二、白装束《しろしょうぞく》に手を伸《の》ばした。

## 深々一礼

夢二、病棟《びょうとう》のどこかに花があるから集めてきて。こんな時間だから、いつもの花屋さん、寝《ね》てるよ。ラッピングは看護婦《かんごふ》さん上手《じょうず》だから。ぼくは死亡診断書《しぼうしんだんしょ》書かなきゃね。花、一階にもあるかも知れんよ。

夜の三時、葬儀社《そうぎしゃ》の霊柩車《れいきゅうしゃ》が診療所《しんりょうじょ》の玄関《げんかん》に着いた。高見遠子さん、落ち着いたきれいな化粧《けしょう》をしてもらって、花も白の装束《しょうぞく》の胸元《むなもと》に添《そ》えられていた。皆《みな》でストレッチャーに移《うつ》した。そして遠子さんは霊柩車《れいきゅうしゃ》に入った。看護婦《かんごふ》さん、深々と一礼。ぼくも深々一礼。夢二は慣《な》れない仕草で頭を下げてた。真夜中のお見送り。夢二、今夜は救《きゅう》急車《きゅうしゃ》も霊柩車《れいきゅうしゃ》も来《き》たね。こんな日は滅多《めった》にないよ。診療所《しんりょうじょ》をゆっくり案内《あんない》できなかったね。診療所《しんりょうじょ》の案内《あんない》は、また次のいい日の夜中にするよ。じゃあ、おやすみ、だよ。

# 永《えい》遠《えん》の子ども

## しゃぼん玉が飛《と》んでいく

約束《やくそく》の時間に夢二が来ない。あいつ、死がこわくなったんだろうか。救急車《きゅうきゅうしゃ》に乗ったり、病院の救急室《きゅうきゅうしつ》見たり、かと思えば白装束《しろしょうぞく》のおばあちゃんの死に顔見たりして、ちょっとびびったかも知れないな。普通《ふつう》の生活をしている中学生が、この平和な時代に、死に出会うなんて、まずないもんな。いや、ないこともないか。いろんな事件《じけん》があって、人が死んでるもんな。あんな事件《じけん》、夢二、どう思ってるんかな。他人事かな、それとも犯人《はんにん》の気持ちわかる派《は》かな。でも、よくないな、人を殺《ころ》すってね。どうし

て？　どうしても。これはできないけど、一回人を殺《ころ》してみたら、きっとわかると思う。殺《ころ》したことあるの？　ってか？　ないけどそう思う。「しまった」と思うと思う、きっと逃《に》げ出《だ》そうとすると思う。逃《に》げたくなる、体が逃《に》げていく、それってそのことを避《さ》けたい、そのことが悪だから、ちがう？　あっ、夢二、いないんだ。生きてた人の動きが自分の行為《こうい》がきっかけで、止まっていくのをじいっと見てれば、「二度とすまい。してはいけないことだ」と気付《きづ》くと思う。いのちって不思議《ふしぎ》なものだ。ある時はわからない。消える時、初《はじ》めていのちが浮《う》かび上《あ》がる。普段《ふだん》はあるからわからない。もったいないね、ある時にわかって、感謝《かんしゃ》して、味わって、他人とも大切な時間を過《す》ごして生きていたいのにね。終わる時、止まる時、消える時、そんな時でないと、そのものの全体が見えないなんてね。でも、大抵《たいてい》のことがそう。しゃぼん玉もそうだもんな。生まれて、飛《と》んで、屋根まで飛《と》んで、そしてこわれて消えた時のさびしさって、飛《と》んでる時、思いつかないもんね。そう言えば、診療所《しんりょうじょ》に子供《こども》がかぜ引いて来てくれる時、おみやげに雑貨店《ざっかてん》で買ったしゃぼん玉あげてたことを思い出した。あれってどこ置《お》いてたかな。それにしても夢二、日曜日の午後一時って言ってたのに、忘《わす》れちゃったのかな。こっちが間違《まちが》えたのかなあ。

## 子供《こども》ってすごい、誰《だれ》でも

夢二が来ないので、「夢二君、診察室《しんさつしつ》にいます」と玄関《げんかん》に張《は》り紙《がみ》して、ぼくは奥の診察《しんさつ》室へ行き、机《つくえ》の上に置《お》いてある読みかけの『永遠《えいえん》の子ども』をパラパラと読んだ。三歳《さい》の女の子が登場してきた。著者《ちょしゃ》はフィリップ・フォレストでフランスの作家。パリが出てきて、ちょっとおしゃれに思える。でも起こったことは、女の子、名前がポーリーヌ、その子の腕《うで》に肉腫《にくしゅ》ができた。肉腫《にくしゅ》って、がんと同じ、骨《ほね》のがんができた。手術《しゅじゅつ》したり放射線《ほうしゃせん》を当てたり、抗《こう》がん剤《ざい》を使ったり。副作用《ふくさよう》で髪《かみ》の毛《け》がなくなってしまう。そんなこと三歳《さい》の子が耐《た》えられるのかって、読んでる方の心が痛《いた》む。でも、耐《た》えてる。子供《こども》ってすごい、と思った。誰《だれ》でも。

子供《こども》のすごいところは、ていねいな説明《せつめい》とか、科学的《かがくてき》に納得《なっとく》できる説明《せつめい》とか、どっちが得《とく》なのかを判断《はんだん》できる情報《じょうほう》とか、そんなもの全然《ぜんぜん》求《もと》めていないところ、だと思う。髪《かみ》の毛抜《けぬ》けても、「こんな可愛《かわい》いウサギさんのお耳のある毛糸の帽子《ぼうし》があるから大丈《だいじょう》夫《ぶ》」と言ってくれるお母さんの言葉で、困難《こんなん》の中に突入《とつにゅう》できる。病気が肺《はい》に転移《てんい》して、手術《しゅじゅつ》を決行する時でも「パパ、ママ大丈夫《だいじょうぶ》よ。わたし、風船ひとつになっても大丈夫《だいじょうぶ》よ」と言って、手術室《しゅじゅつしつ》に入っていく。大人に言いくるめられてそうするのかと思いがちだが、子供《こども》は言葉でなく、目で何かを見て取る。目はつむっていても何かを見て取る。そしてそのことに向かっていく。おそらく、死さえも、ポーリーヌは見て取っていたのではないか、と思える。いのちの不思議《ふしぎ》なところは、そこにある気配をすーと見て取ることだ。動物や植物の方が、そういう力をしっかりと持ってるかも知れない。人間は、だんだんと大人になって、言葉をたくさん身につけていくと、すーと気配を見て取ることが、多くの言葉ゆえにできなくなっていくのだろう。

## 逆《さか》さ縞《じま》のシマウマ

この本の中に、これはいい話だ、と思ったところがある。ポーリーヌがフォレストに絵本を読んであげるところが出てくる。シマウマの話。白と黒の縞《しま》がひとつズレているシマウマがみんなからいじめられていた。孤立《こりつ》して泣《な》いていると、一匹《ぴき》の鳥がやってきて「とても素敵《すてき》だよ、エレガントだよ」とほめてくれた。そのことに助けられて、逆《さか》さまの縞《しま》のシマウマは元気になったというお話。これにはまず笑《わら》って、そのあと考えちゃった。差別《さべつ》も結局《けっきょく》そんなもんだし、いろんなことを白黒で分けてしまってるけれど、どうってことではないんじゃないの、と思った。どうってことではないのを、白・黒で分けたがり過《す》ぎてない、って思ったな。男と女だって、子供《こども》と大人だって、若者《わかもの》と老人《ろうじん》だって、健康人《けんこうじん》と病人だって。それに生と死、生きることと死ぬことだってね。いやあ、ここまで言っちゃうと、「ほんとに?」とちょっと自問してしまうけどね、でもそこのところは問われるね。

それでその本の題の「永遠《えいえん》の子ども」、好《す》きな言葉だ、と改《あらた》めて気付《きづ》いたな。ポーリーヌは四歳《さい》で亡《な》くなる。両親は悲しい。何とも言えずさびしい。でも、ポーリーヌの姿《すがた》や言葉はまるで今、ここに在《あ》ったかのようにある。そのことが続《つづ》く。消えたのに、どこかに在《あ》り続《つづ》ける。永遠《えいえん》という言葉が自然《しぜん》に湧《わ》く。星に通じて行く道に四歳《さい》の子供《こども》が立っている。時が経《た》ち、ポーリーヌが星への道でおばあさんに変《か》わっていても、両親には子供《こども》として、永遠《えいえん》の子どもとして在《あ》り続《つづ》ける。いい題、いい言葉だよね、永遠《えいえん》って、永遠《えいえん》の子どもってね。

## 白い包《つつ》み、赤いニッケ水

こんなすごいことを感じたのに、夢二、姿《すがた》を見せなきゃ、携帯《けいたい》もかけてこないし、メイルも送ってこない。ま、メイルが入っても、返事、打ち返せないけど。宿題に追われてるんかなあ。デートかなあ。いや中学生だから、デートはちと早いか。いや、昔と今は違《ちが》う。ま、いいや、来たら来た時、来なけりゃ、また次の時でね。

そう、子供《こども》の死のことを考えてたんだ。ぼくは小児科《しょうにか》医《い》じゃないので子供《こども》の死に立ち会うことはない。だから子供《こども》が死をどう感じ見つめているかはわからない。大人だって、老人《ろうじん》だってわからないと言えばわからないけどね。わかるのはきっと、自分の死の時だけ。そうだと思う。そう書きながら思い出したことがある。医者になって二年目だったと思う。アルバイトで大阪《おおさか》の病院で当直した。院長から、「重症《じゅうしょう》の肺炎《はいえん》の一歳《さい》の子供《こども》が入院している。もうダメだと思う。ご両親には説明《せつめい》してある。死を看取《みと》っておいて欲《ほ》しい」と申し送りを受けた。あのころ、乳幼児《にゅうようじ》の救急医療《きゅうきゅういりょう》がまだ行《ゆ》き届《とど》いてなかった。夜中に高い熱《ねつ》が出た。ぼくは抗生剤《こうせいざい》と解熱剤《げねつざい》を一歳《さい》の子供《こども》のおしりに注射《ちゅうしゃ》した。夜明け、その子は亡《な》くなった。無力感《むりょくかん》を覚《おぼ》えた。名前も顔も覚《おぼ》えてないけど、あの二人部屋《べや》の、両親と一歳《さい》の子供《こども》だけがいた寒々しい病室の光景《こうけい》は覚《おぼ》えている。

ぼくが生まれて初《はじ》めて見た人の死、それはぼくが六歳《さい》の時で、見た死は五歳《さい》のあき子ちゃん。四軒長屋《よんけんながや》に住んでいて、隣《となり》の家の末《すえ》っ子《こ》のあき子ちゃん。ぼくも末《すえ》っ子《こ》。とってもいい子、おとなしくって、可愛《かわい》くって。トイレに落ちて町の病院に運ばれた。

あのころのトイレは床板《ゆかいた》をくり抜《ぬ》いたボットン便所《べんじょ》。もちろん水洗《すいせん》トイレじゃない。髄膜炎《ずいまくえん》をおこし、入院して一週間して病院で亡《な》くなった。お母さんが白い布《ぬの》に包《つつ》んで抱《だ》いて列車に乗り、田舎《いなか》の駅から歩いて長屋に帰ってきた。ぼくは長屋の共同井戸《きょうどういど》のところでいつものようにゴザ敷《し》いて、一人でそこらの野花《のばな》を摘《つ》んできて、ママゴトをしていた。人の気配がして振《ふ》り返《かえ》った。あき子ちゃんのお母《かあ》さんが白い布包《ぬのづつ》みを抱《かか》えて帰ってきたところだった。

「あき子ちゃんだ、死んでる」、そう思った。シーンとした空気を感じた。泣《な》くことはなかった。友《とも》だちとあき子ちゃんが死んだのを知ってるかとか、死因《しいん》は何だったのかとか話すことはしなかった。家に帰ってそのことについて話したこともなかったと思う。あったのはただ「あき子ちゃん、死んだ」ということだけ。死が心の真ん中にスーと入っていった。

「すーちゃん、これ、どこ刺《さ》す?」トイレにはまる前、あき子ちゃんがニッケ水の入ったゴムボンボンを持ってきた。「針《はり》、貸《か》して」と答え、乳首《ちくび》のようになっている先《せん》端《たん》を刺《さ》さないといけないのに、ぼくは胴体《どうたい》に刺《さ》して、赤いニッケ水が土間に散《ち》って謝《あやま》った。その光景《こうけい》と白い包《つつ》みが、五十年経《た》った今も心の中にある。

夢二、結局《けつきょく》来なかったなあ。何か用でもあったんかなあ。

# 病室は不思議《ふしぎ》

## 夢二は、窓拭《まどふ》き少年

どうしてたんだよ夢二、あの日待ってたんだよ。三時間は待ってたんだよ。夢二はひと言、「ごめん」。それ以上《いじょう》は言わない。言わない時は聞かない、それが大人の礼儀《れいぎ》ちゅうもんだろう、と思って、「さあ、病棟《びょうとう》の方にいっしょに行こう」と言ってみた。「はい」と夢二、今日は明るい。あれから一週間経《た》った二月の日曜日の午後である。山陰《さんいん》にしては珍《めずら》しく晴れ。ぼくは白衣《はくい》だけど、夢二は何を着てぼくの後ろをついてくるのが似合《にあ》うだろう。医学生のように白衣《はくい》に聴診器《ちょうしんき》というのも、夢二にはちょっと早

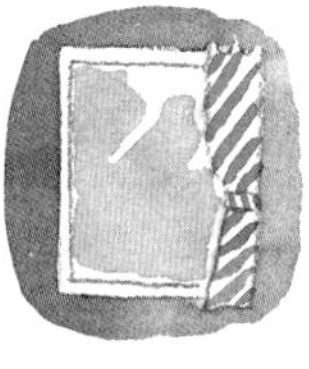

い。窓拭《まどふ》き少年、それがいいと思《おも》い付《つ》いた。頭は海賊《かいぞく》スタイルの手ぬぐい、腰《こし》のバンドにタオル一枚《まい》、もう一枚《まい》は手に持って、足は素足《すあし》。「すみません、窓《まど》を拭《ふ》かせて下さい」と言って、ドクターの後ろから、ドクターにくっついて病室に入る。名案《めいあん》、迷《めい》案《あん》。「行くぞ夢二、一番端《はし》の1号室から、さあ回診《かいしん》だぞー」

## 北風がピューと

「いかがですか、多田《ただ》さーん」。1号室には八十歳《さい》の多田《ただ》道子《みちこ》さんがいる。本を読んでいた。「お昼《ひる》ご飯《はん》、おいしくいただきました。今、読書タイムです。あれ、この坊《ぼ》っちゃんはだーれ?」。ぼくは夢二に目で合図。「はい、窓《まど》を拭《ふ》かせて下さい」と夢二。ぎこちなかったが、ちゃんと言えた。「そりゃあ、有《あ》り難《がた》いわ。鳥取《とっとり》はよく雪が降《ふ》るもんね。おばちゃんね、窓《まど》の向こうに雪が降《ふ》ってるのを見るの大好《だいす》きよ」。夢二、慌《あわ》てて窓《まど》を拭《ふ》き始めた。窓《まど》を思い切り開けたので、冬の寒い北風がピューと入ってきて、壁《かべ》のカレンダーが斜《なな》めになった。夢二、窓《まど》を少し閉《し》め、外側《そとがわ》と内側《うちがわ》を息をハッハッとかけながら拭《ふ》き始めた。学校でも窓拭《まどふ》きやってるのだろうか、なかなかうまい。やるじゃん、と思って、ぼくは多田さんが読んでる本を見た。『古寺巡礼《こじじゅんれい》』。「もう一度、京都や奈良《なら》のお寺、行ってみたいなって思いまして」。多田さん、胃《い》がんの末期《まっき》、昔は薬剤師《やくざいし》だった。全《すべ》てを知っておられる。家族はいない。ぼくは1号室を出て2号室へ。夢二は出てこない。窓《まど》を拭《ふ》いてるようだ。出てきた。ようやく出てきて、「時間が足らない。窓《まど》が拭《ふ》けない。一枚《まい》しか拭《ふ》けないよ」と文句《もんく》を言う。そんなこと言ったって、こっちだって時間がないんだよ。残《のこ》りの一枚《まい》はあとでまた拭《ふ》きにきますって出てこいよとぼく。「はい」と渋々《しぶしぶ》の夢二。

2号室の戸を開けた。昼なのに、うす暗い。返事がない。二十歳《さい》の大学生。寝《ね》ている。布団《ふとん》が少し動いた。「はーい」と蚊《か》の鳴くような声。カーテンが閉《し》め切《き》ってあって、夢二も立ちすくむ。ぼくは木の床《ゆか》を指さす。夢二は合点承知《がってんしょうち》とばかり、四《よ》つん這《ば》いになって床《ゆか》を拭《ふ》き始めた。床拭《ゆかふ》きもなかなかうまい。

「食べられんし、食べたくない。でも、食べなくても大丈夫《だいじょうぶ》」。顔はおばあさんのよ

うにシワだらけ。布団《ふとん》から手が出て、足が出て、どっちも骨《ほね》に足がくっついてるだけの細い棒《ぼう》。「学校、今、行きたくない」「いいよ、それで」と答えて廊下《ろうか》に出た。夢二ついてきて、ぼくに聞いてきた。「今の人、がん？」「いや、拒食症《きょしょくしょう》」「体重は何キロですか？」「夢二は？」「ぼく、四十キロ」「じゃあ、その半分から一キロ引く」「たった？」

夢二のクラスにも食べて吐《は》く子がいるらしい。がんの人よりやせている人を見て、夢二びっくりしてた。

## はなはただいている

「ワハハハ、先生、こりゃあ参《まい》りましたよ」と3号室に入るなりの笑《わら》い声《ごえ》。壁《かべ》一面にマリアさんの写真やマリアさんの絵ハガキが並《なら》んでいる。六十九歳《さい》の大阪弁《おおさかべん》の男性《だんせい》だ。「このぼん、先生とこのぼん？　ちがう？」「窓拭《まどふ》き、させて下さい」「そりゃ感心な子やな。わしもこんな時あったで、悪ガキやったけどな、ワハハハ」

「痛《いた》み、ましや。ほんま、ぐーんとようなったわ、助かる。それより何より、看護婦《かんごふ》さんが今日もマリア像《ぞう》を持ってきてくれるやろ。それが効《き》くわ。わしの女房《にょうぼう》、身体《しんたい》障害《しょうがい》があったんやけど、五年前にがんで死んで、それでわしさびしい。そこにマリア様、ほんまに有《あ》り難《がた》いわ」

夢二、窓《まど》をハーハーしながら、壁《かべ》の方を見ながら拭《ふ》いていた。「いつ死んでも悔《く》いない思うてますんや先生。ほんまでっせ。あいつかて待っとるし、ハハハ」。「あとの一枚《まい》、あとで拭《ふ》きにきます」と夢二。「遠慮《えんりょ》せんとき、ぼん、今、拭《ふ》いたらええがな」。夢二、押《お》し切《き》られ、しばらく病室から出てこなかった。「ワハハハ」と笑《わら》い声《ごえ》まで大阪弁《おおさかべん》。ワハハの患者《かんじゃ》さんは、腎《じん》がんが肝臓《かんぞう》、肺《はい》、皮膚《ひふ》に転移《てんい》している。さびしそうにしてる時あり、笑《わら》い声《ごえ》が湧《わ》き上がることあり不思議《ふしぎ》。でも、どの病室も、みんな不思議《ふしぎ》。

夢二は3号室から出てこないので、ひとりで4号室に入った。ゆき子さん、ニコッと笑《わら》った。たまらない、なんでこんな笑顔《えがお》ができるんだろう。多発性骨髄腫《たはっせいこつずいしゅ》という血《けつ》液《えき》の悪性腫瘍《あくせいしゅよう》でもう三年間寝《ね》たきり。自分では微動《びどう》だにできない。だのに、明るく笑《わら》える。これを夢二に見せなきゃあ、と廊下《ろうか》に戻《もど》った。夢二、3号室からやっと出てきた。さあ、いっしょに入るぞ。入った。ゆき子さん、きょとんとした顔して夢二を見て笑《わら》わない。「窓拭《まどふ》きの小僧《こぞう》ですので」「はあ?」。ゆき子さん、難聴《なんちょう》。補聴器《ほちょうき》の調子も悪い。夢二、耳元で「まどをふきます」と言ったが、「読んで下さる?」と話が通じない。

「ゆき子さんって、冬のお生まれですか?」びっくりした。窓拭《まどふ》き夢二、患者《かんじゃ》さんに話しかけてる。「二月三日」とゆき子さん。「節分《せつぶん》ですか」。話が通じてるぅ。

ぼくはいつものように詩を一日に一つ読む。あるのは『はだか』(谷川俊太郎著《たにかわしゅんたろうちょ》)。それの終わりの方。「はな——はなびらはさわるとひんやりしめっている」と大声で読む。「にんげんはなにかをしなくてはいけないのか　はなはただтабさいてるだけなのに　それだけでいきているのに」。ゆき子さん、目に涙《なみだ》が浮《う》かぶ。ゆき子さん、ポッンと一言。「わたしみたい」。夢二、床《ゆか》を拭《ふ》いている。ぼくは4号室を出る。床拭《ゆかふ》き小《こ》

僧《ぞう》、なかなか出てこない。

## ディズニーシー、行けますか

5号室は肺《はい》がんが脳《のう》に転移《てんい》した五十八歳《さい》の男性《だんせい》。奥《おく》さんもいっしょに過《す》ごしている。鳥取《とっとり》が故郷《こきょう》で、最後《さいご》は故郷《こきょう》で過《す》ごしたいとやってこられた。抗《こう》がん剤《ざい》の副作用《ふくさよう》もようやくなくなり、明るい顔が二人に戻《もど》った。「夕方、ギョーザ、ラーメン食べに外出していいでしょうか」「もちろん」と答えて指で○印《じるし》。治《なお》るって、やっぱり有《あ》り難《がた》いなあ。6号室のドアをコンコンと叩《たた》いた。

「やあ、院長!」と、体はやせてるのに目と声は大きい安本《やすもと》さん。大腸《だいちょう》がんの肝転移《かんてんい》。「院長、カニは好《す》きか。姉の旦那《だんな》が漁師《りょうし》で、時化《しけ》が止《や》むとええカニ取ってくる。好《す》きか」。当然《とうぜん》「好《す》き」と答える。「でも気使わんといて」と添《そ》える。「いやいや院長、そういう意味じゃなくて」。「院長」って呼《よ》ばれるの変《へん》な感じ。院長って呼《よ》ばれるの、好《す》きじゃない。でもカニは好《す》き。夢二出てきた。7号室に行くぞ。

7号室は三十四歳《さい》のななさん。乳《にゅう》がんの多発性骨転移《たはっせいこつてんい》。一人では歩けない。酸素吸入《さんそきゅうにゅう》もしている。中学二年の亜希《あき》と小学三年の由美《ゆみ》。二人の娘《むすめ》さんがいる。土曜日は二人が泊《と》まる。ベッドに三人が寝《ね》てることもある。

「痛《いた》みはどうですか」「薬増《ふ》えて、ましです。でもちょっと便秘《べんぴ》」。夢二、亜希の方を見つめて、窓《まど》を拭《ふ》くことも床《ゆか》を拭《ふ》くことも忘《わす》れている。同級生だもんな。

「春休みに一度、連《つ》れていってやりたかったんです。思い出作りに。主人と娘《むすめ》二人と、ディズニーシー、行っていいでしょうか」。乳《にゅう》がんは進行がゆっくりという時期がある。今ならチャンス、と思う。飛行機《ひこうき》乗れるかな、と考えながら「いいですよ」と返事した。「やったあ」と由美ちゃん。ベッドのななさんに抱《だ》きつく。亜希はつっ立ったまま表情《ひょうじょう》を変《か》えない。「酸素《さんそ》、どうなります」とななさん。飛行機《ひこうき》の中にもホテルにも、酸素《さんそ》の手配はできる。「じゃあ、二泊《はく》、いいですか？」「三泊《ぱく》がいい」と由美。

「ダメ、そんなにお金もないし」。亜希は表情《ひょうじょう》を変《か》えない。夢二もただつっ立ってるだけ。二人の中二、何を見てるんだろう。

# 病室は悲しい

## 空飛ぶ人

ぼくは8号室へ向かう。夢二は7号室から出てこない。亜希と見つめ合っているようにみえたけど、あれはなぜだったんだろう。同級生だったので同情《どうじょう》したんだろうか。亜希がちょっと美人だから、見とれてしまったんだろうか。まあ、いい。そんなこと詮索《せんさく》しなくたって。そのうち8号室に来るだろう。

「まあ先生、今日は昨日《きのう》と違《ちが》っておなか、楽です。楽だと生きていたい、もっと生きてみたい思うんです。昨日《きのう》は死にたいと思ったのに」。森《もり》てる代《よ》さんは七十歳《さい》の卵巣《らんそう》

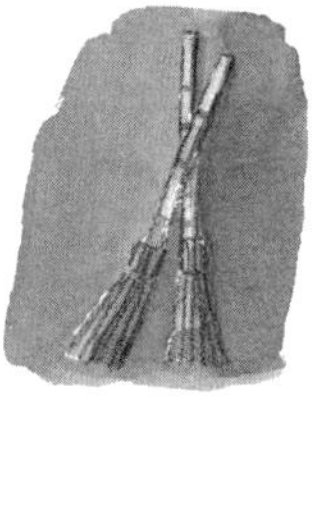

がんの人。腹水《ふくすい》が溜《た》まる。娘《むすめ》二人は東京と静岡《しずおか》。ご主人は七年前にクモ膜下出血《まくかしゅっけつ》で亡《な》くなられた。結局《けっきょく》ひとりぼっち。お墓《はか》も戒名《かいみょう》もお葬式《そうしき》の式次第《しきしだい》もなーんにも準備《じゅんび》している。「苦しまんよう、スーッと逝《い》かせて下さいよ」とてる代さんが言った時、夢二が入ってきた。「あら、先生の子供《こども》さん？　そんなはずないね、お孫《まご》さん？　いやその中間くらい、子と孫《まご》の中間って、聞いたことないわ」。夢二は病室の窓《まど》の丸い模様《もよう》に見入っていたが、「拭《ふ》かせてもらいます」と拭《ふ》き始めた。色のないステンドグラスみたいな窓《まど》。光が屈折《くっせつ》して入って、白い壁《かべ》に映《うつ》る。夢二が拭《ふ》くので影絵《かげえ》のようになる。「感心ですねえ。ボランティアですか？」「は、はい」「まあ、素直《すなお》なお子さん。中学生？」「は、はい、二年生です。名は夢二」「まあ、いい名前ね」

病室の隅《すみ》に二本の竹ぼうきがある。8号室の森てる代さんは普段《ふだん》から黒が好《す》きで、いつも黒の帽子《ぼうし》、黒のセーター、黒のスカートに黒のスカーフで外来の診察室《しんさつしつ》にやってきていた。まるで童話の中の魔女《まじょ》のよう。竹ぼうきに乗って空を飛《と》ぶ。そうだ、とぼくは思いついた。

「ちょっと聞いて夢二君。私《わたし》ね、がんなの。でもね、がんでこの病室で死ぬなんてつまんないから、その竹ぼうきに乗って、どっか空のかなたへ、今君が拭《ふ》いてるその窓《まど》から飛《と》び出《で》ろって、私《わたし》の主治医《しゅじい》は言うのよ。ひどいでしょ。キミ、おばさんといっしょに、もう一本の竹ぼうきに乗って、空、飛《と》んでくれない？」。夢二、困《こま》り顔で、「は、はい」って。すごい奴《やつ》だ。勇気《ゆうき》あるじゃん。「うそ、うそ、夢二君。おばさん、一人で竹ぼうき、乗るから、乗るから」。

## 地上で初《はじ》めて死んだ人

廊下《ろうか》に出た。9号室は入院待ちの部屋《へや》。「そこ、拭《ふ》かなくていいよ、夢二」。だのに、誰《だれ》もいない方が拭《ふ》きやすいのか、手際《てぎわ》よく拭《ふ》いている。9号室の次に談話コーナーがある。「夢二、ちょっとここに座《すわ》ろ」。夢二はそこのソファーに座《すわ》って聞いてきた。「どうして、あんなに明るいの。死はこわくないの」。「こわくない人はないと思う。初《はじ》めて経験《けいけん》することだし」と答えた。そこで少し、夢二と話し合った。死がこわい人

とこわくない人がいるのか、こわくない人はどんな人か、どんな修業《しゅぎょう》を積《つ》めば死はこわくなくなるか、子供《こども》はこわくて大人はこわくないか、女はこわくて男はこわくないのか。学校の先生やお医者さんや看護師《かんごし》さんは死はこわくないか、おまわりさんや自《じ》衛官《えいかん》、あるいは暴力団《ぼうりょくだん》の人は、死はこわくないか。そんなことはないと思う、と答えた。ほんとはみんながこわい。初《はじ》めて海に入る時のようなものだろうか。でも確《たし》かに、こわさだけが残《のこ》っているわけでもない。こわさをはねのけ、死に向かっていく人は何人もいる。いや、みんなが、かなり堂々《どうどう》と、死に向かって生きていく。

「夢二、地上で初《はじ》めて死んだ人のこと思ったことある？　そういう人、きっといるだろう。その人、どんな気持ちで死んでいったと思う」。地上に初《はじ》めて出現《しゅつげん》した人があるように、地上で初《はじ》めて死んだ人がきっといる。その人は、死ぬことをこわいと思ったただろうか。死因《しいん》もわからない。いくさか、転落か、病死か、老《お》いか。

彼《かれ》に死について教えてくれる人は誰《だれ》もいない。彼《かれ》に死について教えたのは、彼《かれ》自身の体ではなかったか、と思う。体の教えを察知《さっち》して、その人は死へと向かっていったのだろう。そして死に遂《と》げた。虫も鳥も魚も、ゴリラも人間も、体が死を教えてくれる。心配はいらん、体が教えてくれる。

**「ああ、あああ、あああああ」**

「先生、すぐに玄関《げんかん》、お願《ねが》いします」

夢二、ついてきて、階段降《かいだんお》りるよ。

玄関《げんかん》に降《お》りると、救急車《きゆうきゆうしや》が止まっていた。「今、着いたとこです。父、おかしいんです。診《み》て下さい」と慌《あわ》てて娘《むすめ》さん。救急車《きゆうきゆうしや》に乗ってるのは古田正《ふるたただし》さん、五十三歳《さい》。洋品店の社長さん。胃《い》がんの末期《まつき》になって、大学病院で治療《ちりよう》をしていたが、最後《さいご》はぼくの診療所《しんりようじよ》に帰ってきたいと望《のぞ》んで、百キロメートル西の大山《だいせん》の見える米子《よなご》から帰ったところだった。ぼくは救急車《きゆうきゆうしや》に乗った。米子《よなご》から付《つ》き添《そ》ってくれた主治医《しゆじい》がゆっくりと首を横に振《ふ》った。夢二は救急車《きゆりきゆうしや》をのぞき込《こ》んでいる。車が鳥取《とつとり》に入り、砂丘《さきゆう》が見えたころで下顎呼吸《かがくこきゆう》が始まったようだ。呼吸《こきゆう》がゆっくりになっていく。「9号室に上がりましょう」とぼく。古田さんを乗せて、ストレッチャーをエレベーターに。救急車《きゆうきゆうしや》の後ろを走っていた自家用車から、古田さんの奥《おく》さんと息子《むすこ》さんが降《お》りてきて、病室に走った。9号室は三か月前、古田さんが入院していた病室だ。

「お父さん、お父さん」「あなた、あなた」

ベッドに横になった古田さんの顔はがんの肝臓転移《かんぞうてんい》のため以前《いぜん》より黄色になっていた。呼吸《こきゆう》はもう始まらなかった。シーンとした空気と、シーンとした時が流れた。「亡《な》くなられました」と告《つ》げた。ぼくも医大の先生も看護師《かんごし》も頭を下げた。「あああ」と大きな叫《さけ》び声《ごえ》が生じた。「お父さん、お父さん」と動物の叫《さけ》び声《ごえ》のような声が火山のように噴《ふ》き上がった。「ほんとに、ほんとに、あーあ、あーあ、あああ、あなた、あなた、あなた、あああああ」と叫《さけ》びは広がった。息子《むすこ》は静《しず》かに何度もうなずいていた。叫《さけ》び声《ごえ》の中で、古田さんはおだやかないい顔をしていた。こんないい顔がいのちあるものには隠《かく》れているんだと思った。「あああ、あああ、あああああ。父さん、父さん、父さんー」「どうして、どうして、どうしてなのー、あああ、あああぁ」
夢二も9号室の隅《すみ》で、じいっと立って、全《すべ》てを見、全《すべ》てを聞いていた。

## ベッドに母と子

回診《かいしん》は中止になった。「夢二、晩《ばん》ご飯《はん》食べてから顔出して」。ぼくらスタッフは高見さんの死のあとのケアの準備《じゅんび》を始めた。

それから古田さんを見送り、ぼくも晩《ばん》ご飯《はん》を食べ、ひと息入れて回診《かいしん》を始めた。10号室、11号室、12号室が終わった時、夢二がやってきた。どうせ来ないわと思ってたのでびっくりした。夢二、どうしたんだろう。

13号室は三十七歳《さい》の卵巣《らんそう》がんの夏美《なつみ》さん。三日前から意識《いしき》がなく、呼吸《こきゅう》もゆっくりになって脈《みゃく》も触《ふ》れにくい。ダンプカーの運転手のご主人と小学六年の哲也《てつや》君と小学四年の百合《ゆり》ちゃんと小学一年の雪《ゆき》ちゃんの四人で看病《かんびょう》している。百合と雪は、お母さんの寝《ね》てるベッドにもぐり込《こ》んでいる。二人でつつき合って笑《わら》ったり、怒《おこ》ったり。ご主人と哲也は床《ゆか》に座《すわ》って、カップラーメンを食べていた。夢二は、夜だから窓《まど》を拭《ふ》くわけにもいかず、電気スタンドの傘《かさ》や洗面所《せんめんじょ》の鏡《かがみ》を拭《ふ》いていた。

ぼくは廊下《ろうか》に出てご主人を呼《よ》ぶ。「近づいたようです。今夜中かも知れません」「ほんとによくしてもらいました。ありがとうございます」

夢二と14号室、15号室、16号室と回って、17号室に入っている時だった。「先生、13号室へ」と看護婦《かんごふ》さんに呼《よ》ばれた。百合と雪はベッドを降《お》り、床《ゆか》の上にちょこんと座《すわ》っていた。夏美さん、小さな息を一つした。「これで」と看護婦《かんごふ》さんがサイダーをコップに入れてきた。サイダーをガーゼにひたし、皆《みな》が夏美さんのくちびるをぬらした。百合も雪も手で目をこすって泣《な》いていた。哲也も。「ありがとうございました。ほんとに」とお父さん、ペコペコ頭を下げた。夢二はきょうだいじゃないのに、三人のお兄ちゃんのような目で、三人を見ていた。

死後の処置《しょち》が済《す》んで、二時間近くが経《た》って、ご主人の大きなバンで、夏美さんを家へ連《つ》れて帰ることになった。玄関《げんかん》で待っていると、エレベーターが開き、ベッドが降《お》

郵 便 は が き

恐縮ですが、
切手をお貼り
下さい。

101-0051

（受取人）

東京都千代田区神田神保町三―九
幸保ビル

新曜社営業部 行

通
信
欄

# 通信用カード

■このはがきを，小社への通信または小社刊行書の御注文に御利用下さい。このはがきを御利用になれば，より早く，より確実に御入手できると存じます。
■お名前は早速，読者名簿に登録，折にふれて新刊のお知らせ・配本の御案内などをさしあげたいと存じます。

お読み下さった本の書名

通 信 欄

## 新規購入申込書　お買いつけの小売書店名を必ず御記入下さい。

(書名)　(定価) ¥　(部数) 部

(書名)　(定価) ¥　(部数) 部

(ふりがな)
ご 氏 名　ご職業　(　歳)

〒　Tel.
ご 住 所

e-mail アドレス

| ご指定書店名 | 取次 | この欄は書店又は当社で記入します。 |
|---|---|---|
| 書店の住 所 | | |

# 新曜社 新刊の御案内

Sep.2022〜Mar.2023

■新刊

井上雅雄

## 戦後日本映画史 企業経営史からたどる

映画は製作会社，特に制作者・監督・俳優などが作るものと考えられがちだが，配給会社，映画館，観客など多くの人々が関わっている。戦後映画の「黄金期」を，産業として企業経営史の観点からたどり，従来の作品論とは全く異なった新しい風景を拓く。

ISBN978-4-7885-1781-3 A 5 判 512 頁・定価 5720 円（税込）

林 英一

## 残留兵士の群像 彼らの生きた戦後と祖国のまなざし

敗戦後，帰国せずにアジアの各戦地で生きることを選択した残留兵士たち。彼らはなぜ残留を決意し，どのような戦後を歩んだのか。そして，祖国の人々は，彼らをどう眼差してきたのか。聞き取りや文献，映像資料を駆使し，残留兵士の実像と表象に迫る。

ISBN978-4-7885-1793-6 四六判 352 頁・定価 3740 円（税込）

烏谷昌幸

## シンボル化の政治学 政治コミュニケーション研究の構成主義的展開

共通の認識や感情はいかにして集団の中から創出され，政治的な効力を発揮するのか。シンボル論という哲学的遺産を応用し，政治コミュニケーション研究の中核的な問いを追究する。この分野を根本から基礎付け直し，新たな展開へと牽引する意欲作。

ISBN978-4-7885-1784-4 A 5 判 336 頁・定価 3520 円（税込）

石井大智 編著／清 義明・安田峰俊・藤倉善郎 著

## 2ちゃん化する世界 匿名掲示板文化と社会運動

日本発の匿名掲示板文化は世界をどう変えたのか？ 2ちゃんねると社会運動の歴史的経緯，匿名掲示板のグローバル化と陰謀論の隆盛から，日本のみならずアメリカや香港の政治・社会問題やデモへのつながりまで。気鋭の論者らがその功罪を問う。

ISBN978-4-7885-1798-1 四六判 240 頁・定価 2420 円（税込）

りてきた。ベッドを見てびっくり。夏美さんの横に、花束《はなたば》を持った哲也、百合、雪がちょこんと座《すわ》っている。夢二と看護婦《かんごふ》さんがベッドを押《お》していた。まるでリヤカーに乗った保育園児《ほいくえんじ》の散歩《さんぽ》みたい。泣《な》いてた三人が笑《わら》っていた。「夜道、車、気をつけて」

「ありがとうございましたー」

皆《みな》が深々と一礼し、見送った。夢二も。頭を上げると空に上弦《じょうげん》の月がいて、こっちを見ていた。うつむいていた夢二、ゆっくりと空を見た。夢二、死と月の両方を見て何か感じただろうか。何も感じないだろうか。夢二、しばらく、月を見ていた。

1 2 R

# 桜《さくら》の下の野《や》外《がい》授《じゅ》業《ぎょう》

## 諦《あきら》めと祈《いの》り

節分《せつぶん》すんで七雪。暦《こよみ》の上で春、となってからでも七回も雪が降《ふ》るという先人たちの教え。「七回も？」と疑《うたが》う現代人《げんだいじん》の我《われ》ら、「いっかーい」、「にかーい」とかぞえて追試《ついし》験《けん》しながら過《す》ごした。「さんかーい」「よんかーい」「ごかーい」「ろっかーい」と雪は土、日に集中して二月が終わり、あと一回くらいの雪かと思ったのに、早々と三月三日に雪が降《ふ》った。そういえば入学受験《じゅけん》の日に雪が降《ふ》り、京都で市電を待ってた時、雪が舞《ま》ったなあと、あの日の光景《こうけい》を思い出した。

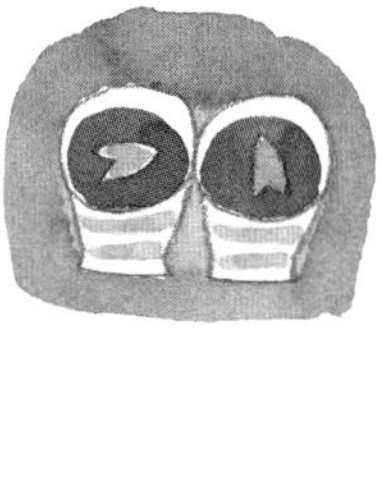

これで雪も打ち止めならぬ降《ふ》り止めかと思ったのに、「はちかーい」「きゅうかーい」と続《つづ》き、節分《せつぶん》すんで十一雪、と新しいトリビア（意味のない、取るに足らないこと）が生まれた。そして四月を迎《むか》えた。四月に入ると雪は降《ふ》らなくなった。降《ふ》るのも不思《ふし》議《ぎ》だけれど、降《ふ》らなくなるのも不思議《ふしぎ》だった。人間の望《のぞ》みや期待とは関係《かんけい》のないどっか遠いところで、大切なことは決まっていくみたい。及《およ》び届《とど》かないものがあるということを、人間はどこかで知っている。だから諦《あきら》める。だから、祈《いの》る。

これだけ雪が降《ふ》ったからだろう、桜《さくら》が咲《さ》くのが遅《おく》れた。去年は小学校や中学、高校の入学式の時には桜《さくら》が散《ち》ってしまっていたので、風情《ふぜい》がなかったが、今年は風情《ふぜい》が戻《もど》った。桜《さくら》を見ると、なんだかうれしくなる、いや、なんだか悲しくなる、いや、なんだかあやしく、いや、恋《こい》しく、いや妖艶《ようえん》な気持ち、いや違《ちが》う、さくら色の気持ち、そう、さくらな気持ちになる。引《ひ》き込《こ》まれそうになったり、その反対に、全部のさくらの花が自分の中に入って来そうに思えたり、それをさくらな気持ち、と呼《よ》んでみた。だから桜《さくら》が咲《さ》くと、どうしても桜《さくら》の木の下にゴザを敷《し》いて、桜《さくら》に包《つつ》まれたくなる。木

の下で亡《な》くなった人のことを思い出したり、これからどう生きようかを考えたりする。そしてただボーと桜《さくら》に包《つつ》まれて、時を過《す》ごす。

夢二に、桜土手《さくらどて》の鹿野橋《しかのばし》と智頭橋《ちずばし》の真ん中の桜《さくら》の木の下で、って約束《やくそく》したのに、あいつ何してるんだろう。時計《とけい》は七時を回ったのに、来ない。橋、間違《まちが》えたかなあ。

## 桜酒《さくらざけ》

ぼくは、ただボーと桜《さくら》に包《つつ》まれて夢二を待った。

来た。夢二、自転車で来た。四十分の遅刻《ちこく》。「ごめん。迷《まよ》ったんじゃないの、ちょっと」。診療所《しんりょうじょ》はこの桜土手《さくらどて》から歩いて十分、自転車なら五分以内《いない》。桜《さくら》に引かれて、夢二との教室は診療所《しんりょうじょ》じゃなくて、桜《さくら》の木の下。野外授業《やがいじゅぎょう》だ。ぼくはゴザを敷《し》く。近くのおにぎり屋さんで買っておいたおにぎり弁当《べんとう》ミニと、熱燗《あつかん》を入れたポットにおちょこ二つ、別《べつ》にお茶のポットと紙コップ二個《こ》を並《なら》べる。

やっぱりきれいだ、と思う。病棟《びょうとう》の回診《かいしん》をして、この世に生きておれる日が数日《すうじつ》の人や、一週間くらいの人がいる、ということは頭に残《のこ》っている。でも、申《もう》し訳《わけ》ないと思いながら、桜《さくら》、きれいだ、と思う。夢二に「どう?」と聞いてみた。「きれい」と夢二。「桜《さくら》、好《す》き?」と聞いてみた。「好《す》き」と夢二。「どれくらい好《す》き?」としつこく聞いてみた。「長さで、どれくらい?」と聞き直した。夢二、「長さで?」と言いながら、右手と左手で四十センチくらい、と示《しめ》した。「たった?」とぼくが言うと、両手をいっぱい広げた。「小学校や中学の入学式で、桜《さくら》が咲《さ》いて、お母さんと手つないで校門くぐって、って、やった?」と聞いてみた。夢二の表情《ひょうじょう》が少し暗くなったようだった。夢二、答えない。「西中学の桜《さくら》は咲《さ》いた? きれい?」と質問《しつもん》を変《か》えてみた。「咲《さ》いてる、きれい」と返事。機嫌《きげん》が少し直ったみたい。おにぎり弁当《べんとう》に玉子《たまご》焼《や》きとミンチボールとタケノコとワラビにお漬物《つけもの》が入ってた。おちょこに熱燗《あつかん》を入れたら、「ぼくは」と夢二。「酒、飲んだことない?」「ない」「一回も?」「一回も」。「お父さんは飲まない?」と聞くと、夢二、返事しない。「形だけ。飲まなくていいから」とぼくは言って、桜《さくら》の花二個《こ》を取った。熱燗《あつかん》の入ったおちょこに桜《さくら》の花が浮《う》かんだ。乾《かん》杯《ぱい》！　何にだろう。今在《あ》ることだろう、今年、こうして生きてることにだろう。生きているといろんなことがあるが、今こうして、痛《いた》みや苦しみ、辛《つら》さ、から免除《めんじょ》されていることにだろう、桜《さくら》そのものにだろう。お酒がおいしい。夢二、少しなめて、「桜《さくら》もちの匂《にお》いする」って。

## さくらの言葉

春の風が吹《ふ》いていた。「夢二、人間って、死の何日前まで、きれい、って感じると思う？」突然《とつぜん》の質問《しつもん》に夢二は「さあ」。「病気で、体が衰弱《すいじゃく》して、もう食べられなくて、そんな状態《じょうたい》になって、きれいと思えるのって、どれくらい前まで？」「さあ」。ぼく、前の病院の時のことを思い出したことを話した。

その人は女性《じょせい》。四十二歳《さい》、がんの末期《まつき》。城跡《しろあと》の桜《さくら》が咲《さ》いた。窓《まど》の向こうの遠くに満開《まんかい》の桜《さくら》が見えた。ギャッジベッドを起こし、詰所《つめしょ》にあった大きな鏡《かがみ》を取りに行き、鏡《かがみ》に城跡《しろあと》の桜《さくら》を写した。なかなか上手《じょうず》に桜《さくら》をとらえられず、ウロウロしている時だった。

「あ、さくら、きれい」と彼女《かのじょ》が叫《さけ》んだ。「そこ、そこ、さくら、きれい、きれい」。三日後、亡《な》くなった。人間、きれいって、死の三日前までは感じられる、とその人から教えられた。死の間際《まぎわ》まで普通《ふつう》の感覚《かんかく》が残《のこ》っている。

　夢二は「ふーん」と言いながら、たらこにぎりを食べている。

　ぼくは五十六歳《さい》のエンジニアのことも思い出した。夢二には話さなかった。ただ思い出しただけ。そのエンジニアは節分《せつぶん》のころ、「いのち、あとどれくらい残《のこ》ってますか、死はいつごろでしょう?」とぼくに尋《たず》ねた。胃癌《いがん》の末期《まっき》だった。とっさに、「さくら、でしょうか」とぼくは答えた。「さくら? さくらですか。だったらいいです」とエンジニアは安堵《あんど》した表情《ひょうじょう》をした。廊下《ろうか》で奥《おく》さんに呼《よ》び止《と》められた。「下の息子《むすこ》、中学三年生で、三月に高校入試《にゅうし》なんです。その日までは生きてやりたい、って主人言ってましたので、桜《さくら》だったら間に合う、と喜《よろこ》んだんだと思います」。病状《びょうじょう》は急速に進行した。二月の末《すえ》に血圧《けつあつ》も下がり、呼吸《こきゅう》も弱くなった。個室《こしつ》に移《うつ》った。その病室で、中三の息子《むすこ》さんが言った。

「先生、助けて下さい。お父さん、助けて下さい。ぼく、なんでもしますから、お父さん、助けて下さい」。病状《びょうじょう》はさらに進み、最後《さいご》の呼吸《こきゅう》となった。家族が一言ずつエンジニアに語った。中三の彼《かれ》は言った。「お父さん、今まで、してもらうばっかりで、何にもしてあげんで、ごめんよ、ごめんよ」

さくら、間に合わなかった。

さくらのころになると、あの病室での言葉が飛《と》び跳《は》ねてくる。

## 死と形容詞《けいようし》

「夢二、形容詞《けいようし》って知ってるだろ。死にはどんな形容詞《けいようし》が似合《にあ》うと思う?」。桜土手《さくらどて》のあっちこっちで職場《しょくば》の花見会が開かれている。バーベキューをやっているグループもいる。笑《わら》い声《ごえ》や「キャアー」という声も上がる。ぼくらのところだけボンボリのない。そんな桜《さくら》の木の下で、死がテーマの、夢二とぼくの野外授業《やがいじゅぎょう》。

「暗い」と夢二。「うーん、明るい死、ってちょっと想像《そうぞう》できないね。でもある。決

して死は暗くはないけど、暗くなくするには、いろんな人の努力《どりょく》や工夫《くふう》や愛情《あいじょう》がいるよ」「いろんな人？」「本人も家族も、医療《いりょう》スタッフも、友人も」「愛情《あいじょう》？」「いや、愛《あい》情《じょう》なんて言葉、ぼくも照《て》れるし、ぼくの言葉外なんだけど、その人のことを大切に思う気持ちっていうことかなあ」

「遠い」「とりあえず遠くにある。でもすぐそこにもある。亡《な》くなった人が遠くに行くってことは残念《ざんねん》だけどある。でも急に、帰ってくることもある」「どこに？」「生きてる人の心に」

「ひどい、すざまじい」「すごい形容詞《けいようし》だ。確《たし》かにいろんな死がある。その形容詞《けいようし》がぴったりする死がある。事故《じこ》死、殺人《さつじん》死、戦争《せんそう》死、そしてほかの死も。死からそれらの形容詞《けいようし》をどう離《はな》そうか、それを考えてる」

「憎《にく》い、切ない」「どうした、二つずつ並《なら》べたな。いやあ、夢二、大人になったんかと思ったよ。二つとも、どうしても死につながりやすい形容詞《けいようし》だね」

「こわい」「こわいよね。歯を抜《ぬ》くのだってこわいし、見知らぬ人にちょっとと声かけられるのだってこわいもんね。こうしたらこわくないってない。でも、『もう眠《ねむ》らせて』と言われる時、鎮静《ちんせい》の薬を使う。すると苦しさやこわさは遠のく。今、苦しいを使ったね。この形容詞《けいようし》も死から離《はな》そうと努力《どりょく》してる」

ぼくは「美しい」「やさしい」「すばらしい」「すごい」「尊《とうと》い」「神々《こうごう》しい」「懐《なつ》かしい」などの形容詞《けいようし》を用意してたのに、夢二の口から出てこない。夢二の口から出た最《さい》後《ご》の形容詞《けいようし》は「さびしい」だった。「これは死の核《かく》。会えないってさびしい、いっしょにしゃべり合えないってさびしい、そばにいることができないってさびしい。死とさびしいは根っ子が同じ言葉かも知れないね」

風もないのに、ハラハラと桜《さくら》の花びらが散《ち》ってきた。

# 夢二と伸《しん》二《じ》

## かたつむり、どこ？

六月、梅雨《つゆ》。なのに雨が降《ふ》らない。あじさいがくたびれている。咲《さ》きたいのに、なんだかドライフラワー状態《じょうたい》だ。かたつむり、見えない。這《は》いたいのに、ドライフラワーの茎《くき》じゃあ這《は》えないのかな。

六月の日曜日の午後、いつになく夢二が早く来た。「病棟《びょうとう》の廊下《ろうか》や窓拭《まどふ》き、適当《てきとう》にやっといてくれ」。ぼくは相談に見えた人がいて、すぐに動けない。相談に来てたのは本人じゃない。家族の人。二十三歳《さい》の人ががん。途方《とほう》に暮《く》れておられる。

「うーん」とぼくは唸《うな》る。すぐに答えられない問題だ。「うーん」ばかりじゃ相談者も困《こま》る。「うーん」あんな人もいたな、こんな人もいたな、「うーん」と思い出し、牛のようにがんじがんじする。

## 冥想室《めいそうしつ》の窓《まど》

病棟《びょうとう》に上ってみた。夢二、いない。南側《がわ》の病室の窓拭《まどふ》きやってるのかな。いない。西側《がわ》の病室かな。いない。じゃあ、東側《がわ》の病室だろうか。いない。ラウンジのカウンターの裏側《うらがわ》、いない。かくれんぼうみたいだ。屋上か？ 上ってみたが、いない。ナースの休憩室《きゅうけいしつ》、いるわけないじゃん。どこだろう。便所《べんじょ》、風呂場《ふろば》、いない。ユーティリティー、いない。喫煙《きつえん》コーナー、いない、よかったー。家族台所、倉庫《そうこ》、カンファランスルーム、いない。残《のこ》るは一つ、冥想室《めいそうしつ》。いたあー。夢二、せまーい冥想室《めいそうしつ》のステンドガラスを拭《ふ》いていたあー。「これ、きれい。光が射《さ》すときれい」。「これ、誰《だれ》？」と小冊子《しょうさつし》を指さして夢二が聞いた。窓拭《まどふ》きの伸二《しんじ》のミニ追悼集《ついとうしゅう》だった。「死んだの？」

「うん」「なぜ？」「肝臓《かんぞう》がんだった」「どんな人？」「いい奴《やつ》だったよ」「どんなとこが」「いろいろ。窓拭《まどふ》きもハアハア一生懸命《いっしょうけんめい》だったし、床拭《ゆかふ》きもゴシゴシ這《は》いつくばってやってたし。イヤって言わない。みんながどんなことを頼《たの》んでもハイ、ハイ、しか言わない」「ぼく、伸ちゃんのこと、もっと知りたい。教えてくれる？」

どうしたんだろう夢二。冥想室《めいそうしつ》にたまたまあった「伸ちゃんミニ追悼集《ついとうしゅう》」をパラパラと開いただけなのに、なんでこんなに、伸二のこと、知りたいんだろう。ぼくも座《すわ》った。夢二も座《すわ》った。二人が座《すわ》ると、冥想室《めいそうしつ》は超満員《ちょうまんいん》。だって広さは、変形《へんけい》五角形で、たたみ二畳《じょう》もない。天井《てんじょう》も斜《なな》め。

## ウィスキーとジャズ

伸二の名は草刈伸二《くさかりしんじ》っていう。「年齢《ねんれい》は？」って本人に聞いても「わからん」って。カルテには生年月日が書いてある。四十二歳《さい》。

ある日、お母さんから電話がかかって、市内にある伸二の家に往診《おうしん》したんだ。彼《かれ》の

部屋《へや》は二階だった。ドアを開けた途端《とたん》だった。「なにしにきたあ、このばばあー」と叫《さけ》んだ。すごい顔。ぼくの顔見て、「あっ、違《ちが》う、すみません」と普通《ふつう》の顔に戻《もど》った。左手首をカミソリで切っていた。リストカット。血がにじみ出ている。傷《きず》は三十個《こ》くらいあった。「三十も?」と夢二。深い傷《きず》が五本くらい。よーく見ると、傷《きず》の中に白い粒《つぶ》が入っている。「これ何?」「ご飯《はん》」「どうしてご飯《はん》をここに?」「だって、バイ菌《きん》が入って毒《どく》が体に回ったら死ねるから」。夢二が驚《おどろ》いたような、変《へん》な顔をした。

伸二の部屋《へや》は散乱《さんらん》していた。ウィスキーのから瓶《びん》がたくさんあった。一番安い三四郎《さんしろう》2・7リットル瓶《びん》もあった。レコードもたくさんあった。ジャズが流れていた。伸二、酒飲んでいて、プーンと匂《にお》う。ぼくは車に伸二を連《つ》れ込《こ》み、診療所《しんりょうじょ》に戻《もど》った。コメをピンセットでつまみ、消毒《しょうどく》し、深い傷《きず》は縫合《ほうごう》した。処置《しょち》が終わって、ぼくは伸二に言った。「夢二、ぼく、伸二に何って言ったと思う?」「おだいじに」。「残念《ざんねん》、ちがう」「じゃあ、なんて?」「伸二、働《はたら》け、働《はたら》くしかない」。「そしたら夢二、伸二、どう答えたと思う?」「いやだ」「残念《ざんねん》、わかりましたって」。

伸二、診療所《しんりょうじょ》にやってこない。こっちが押《お》しかけた。すると、求人案内《きゅうじんあんない》のチラシを持ってて、面接《めんせつ》に行くって。ウィスキーの匂《にお》い、プーンとしてた。昔は軽トラックで中元や歳暮の配達《はいたつ》なんかしたらしい。でも、今、体力がない。青果市場《せいかいちば》で募集《ぼしゅう》一名。「でも、朝五時なんですよ」と渋々《しぶしぶ》の伸二。

夢二が聞いた。「伸二さんって、手首の他《ほか》は元気なの？」。言うの忘《わす》れてたな。ひとつは、アルコール依存症《いそんしょう》。それとは別《べつ》に、輸血《ゆけつ》を受けたことがあって、それがきっかけでウィルス性肝炎《せいかんえん》。それで肝硬変《かんこうへん》になり、肝《かん》がんになってたんだ。肝《かん》がんの治療《ちりょう》は市内の総合病院《そうごうびょういん》で受けていて、小康状態《しょうこうじょうたい》。小康《しょうこう》って、少し落ち着いているっていうこと。「伸二さん、そのこと知ってたの？」。夢二、今日は聞いてくるねえ。そう、夢二、いや伸二は全部知ってた。だって、今ごろ、総合病院《そうごうびょういん》の医者は、ほんとのこと説明《せつめい》してくれる。それに肝硬変《かんこうへん》があると、食道の静脈《じょうみゃく》がこぶになって、それが破《やぶ》れることがあって、伸二も二回破裂《はれつ》して、総合病院《そうごうびょういん》で助けてもらったんだ。自分の体が火山だって、知ってたんだ。

# 俺《おれ》、死んでもいいよ

青果《せいか》市場の求人《きゆうじん》、伸二、落ちてがっかり。それで、「野の花診療所《しんりようじょ》、来ないか?」って声かけた。伸二、「お願《ねが》いします。俺《おれ》、何でもやりますから働《はたら》かせて下さい!」。それが始まり。伸二の仕事の日々が始まった。ジーパン姿《すがた》で、腰《こし》に雑巾《ぞうきん》二枚《まい》ひっかけ、手に一枚《まい》持って、バンダナ巻《ま》いて。細長の伸二は窓《まど》からベッドから机《つくえ》、テレビにコップにドアに床《ゆか》、便器《べんき》のウラオモテ、トイレの床《ゆか》、処置《しよち》室《しつ》の血のついた床《ゆか》、車椅子《くるまいす》のタイヤ、ぜーんぶ拭《ふ》いた。

「伸ちゃん、これ持って」「伸ちゃん、力貸《か》して」「伸ちゃん、あれ取って」「伸ちゃん、これ買ってきて」。伸二、みんなの手になり足になり働《はたら》いた。ほんとに働《はたら》き者。「体は大丈夫《だいじょうぶ》なの?」と心配そうに夢二。昼《ひる》ご飯《はん》は誰《だれ》よりも早く食堂《しょくどう》で、一番飯《めし》。それから昼寝《ひるね》。ここで働《はたら》き始めて、太ったよ。

そう、ある日、有名な詩人が飛行機《ひこうき》で、鳥取《とっとり》に来たことがある。「どんな詩人?」。

夢二も知ってると思う。『生きる』っていう詩を書いた人。「生きているということ、いま生きているということ、を書いたあの人？　はなはただださいているだけなのに、それだけでいきているのに、の人？」。夢二、ぼくよりよく覚《おぼ》えてる。ぼくもバタバタ、他の職員《しょくいん》もバタバタ。空港に迎《むか》えに行く人いないんだ。「伸二、詩人を迎《むか》えに行ってー」。ボロ車に乗って、詩人、無事《ぶじ》に診療所《しんりょうじょ》着いてホッとしたなあ。「すごい、伸ちゃん」と夢二、詩人より伸二に感心している。

一年が経《た》ったころ、伸二、ラウンジで意識《いしき》なくした。手足にけいれんがおこった。四十度に発熱《はつねつ》。診療所《しんりょうじょ》に入院した。伸二、隠《かく》れて酒飲んでたんだ。弱った肝臓《かんぞう》が、お酒を処理《しょり》できなくなっていた。「スイマセン」って小さな声で。そこで酒やめたら伸二も偉《えら》いんだけどなあ。「ダメだったの？」と夢二。夢二は伸二となんだか友人みたいになってきた。三か月後、吐血《とけつ》。やっぱりお酒、やめられなかった。伸二はぼくの診療所《しんりょうじょ》に入院。ぼく、伸二に言った。「なんて？」と夢二。「酒、本気でやめないと、死ぬよ」。「そんなモロに言うの？」と夢二。会ったことない伸二に同情的《どうじょうてき》。そしたら伸二がぼくの顔見て言ったよ。「いいよ、先生。死んでもいいもん。俺《おれ》、死ぬの、こわくないもん。」。笑《わら》ってそう言った。「笑《わら》って？」と夢二。伸二、死ぬこと、ずっと昔から、どこかで覚悟《かくご》してたんだ。覚悟《かくご》して、働《はたら》いていたんだと思う。

## 伸ちゃん、おやすみ

せまい冥想室《めいそうしつ》で、ぼくは伸二がいたあのころを思い出しながら話した。せまい冥想《めいそう》室で、会ったこともない夢二は、一生懸命《いっしょうけんめい》聞いている。

伸二の吐血《とけつ》は止まらず、総合病院《そうごうびょういん》に運んだ。今まで、伸二の肝《かん》がん治療《ちりょう》をしてくれたドクターだ。翌日《よくじつ》、伸二の様子が変《か》わった、と主治医《しゅじい》から連絡《れんらく》が入った。すぐ総合病院《そうごうびょういん》に車を飛《と》ばした。「どうだった？」と夢二。だめだった。大阪《おおさか》から姉さんも来ていた。いつも喧嘩《けんか》していたお母さんも来て、「伸二！　伸二！」と体にかぶさって泣《な》いていた。

「じゃあ、帰ろう」とぼくはみんなに言った。総合病院《そうごうびょういん》の霊安室《れいあんしつ》から出て来た伸二をぼくらの診療所《しんりょうじょ》に運んだ。みんなが「お帰り、伸ちゃん、お帰り」って迎《むか》えてくれた。

伸二は、12号室のまっさらなシーツの上に横たわった。みんなで花をいっぱい体の上に置《お》いた。みんなが、冷《つめ》たくなった伸二の手を握《にぎ》り、顔をさすった。

「バランタインの12年」を皆《みな》で飲もう。伸二が飲みたかったウィスキーだった。三四郎《さんしろう》と全然違《ぜんぜんちが》う。ぼくが街《まち》の店を走り回って買ってきた。盃《さかずき》に少し移《うつ》し、ガーゼにひたし、姉さんに伸二の口を拭《ふ》いてもらった。全職員《しょくいん》もウィスキーの入った盃《さかずき》を手にした。「伸ちゃん、おやすみ」。キュッと一口、不思議《ふしぎ》なまろやかさが口に広がった。伸二、これが飲みたかったんかあー、とみんなが思った。

廃品回収業《はいひんかいしゅうぎょう》をして伸二を育てたオモニが叫《さけ》んだ。「女つかまえんで酒つかまえて。わし残《のこ》して、お前どこゆく気だ」

ぼくはせまい冥想室《めいそうしつ》で、あのころの伸二のことを思い出しながら話した。夢二は話の全部を真剣《しんけん》に聞いていた。「みんなが伸ちゃんのこと、好《す》きだったの？」と夢二。「そう、好《す》きだった」とぼく。ぼくの思い出と夢二の想像《そうぞう》が冥想室《めいそうしつ》の中で霧《きり》のように漂《ただよ》っていた。

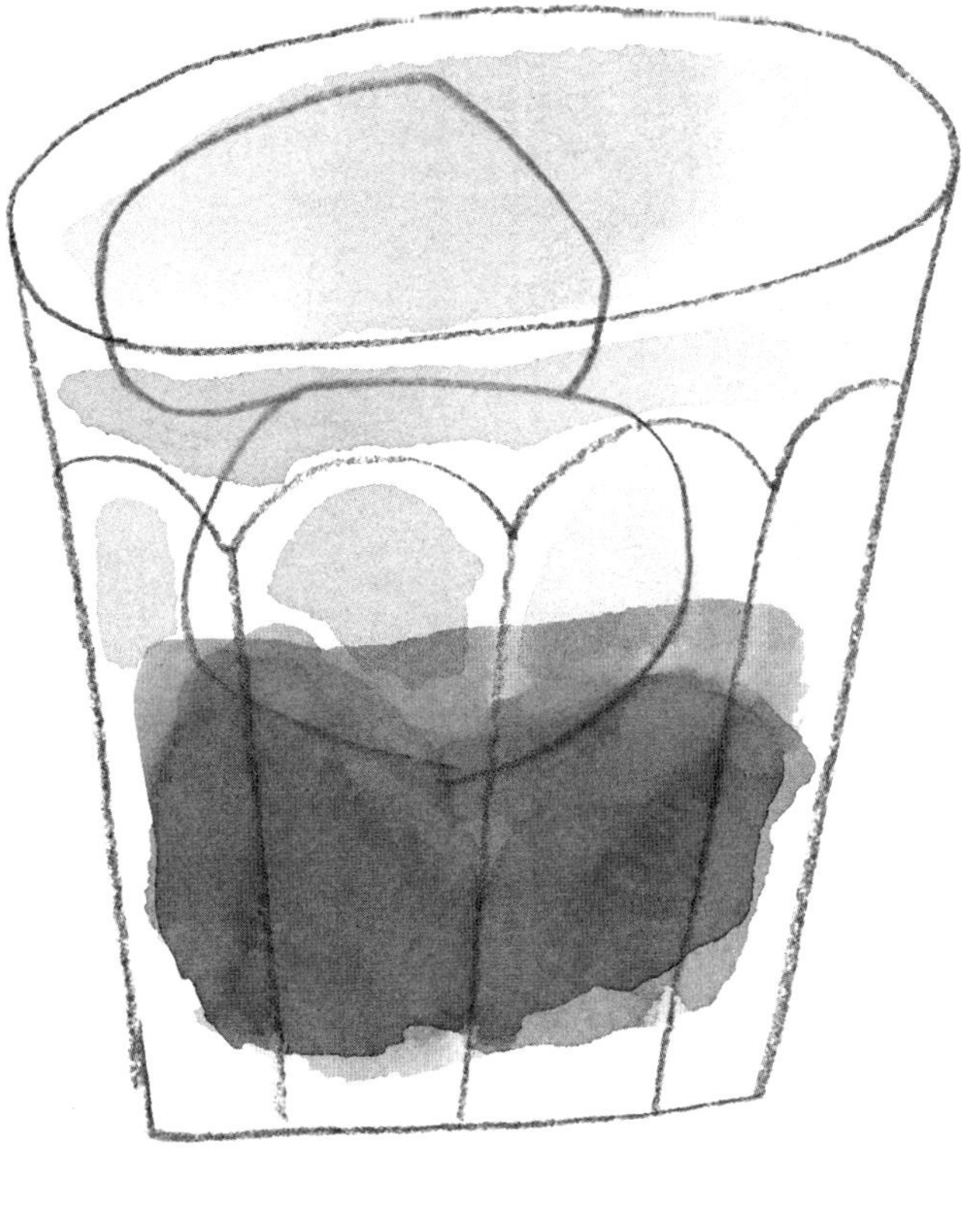

# ニイニイ蝉《ぜみ》の夏が来《き》た

## 夢二が伸二になる夏

「ニィニィ」と蝉《せみ》が鳴き始めた。空にはみるみる入道雲。学校は夏休み。夏休みになると、朝早くラジオ体操《たいそう》の曲が流れる。これが日本の夏だな、と思う。それから油蝉《あぶらぜみ》が鳴き、カナカナ蝉《ぜみ》も鳴き始める。

夢二も夏休み。午前と午後、毎日診療所《しんりょうじょ》に顔を出す。「宿題は？」「ある」「やってる？」「そこそこ」「そこそこって、お父さんやお母さんに叱《しか》られるから、ちゃんと済《す》ませてから来いよな」と、まるでうるさい担任《たんにん》のよう。「叱《しか》られない、絶対《ぜったい》」。夢二、

れる。

絶対に力を込《こ》めた。「こっちの方が面白《おもしろ》いもん、宿題より」。夢二、いいこと言ってく

「夢二くん、これお願《ねが》い」と助手さんから呼《よ》ばれて、分別《ぶんべつ》ゴミを大きなビニール袋《ぶくろ》に入れ、屋外の収納庫《しゅうのうこ》に運ぶのを手伝《てつだ》っている。「冷《ひ》えた麦茶、7号室、頼《たの》める?」と厨房《ちゅうぼう》の吉川《よしかわ》のおばさんにも声かけられた。「悪いね、この水をバケツに移《うつ》して」と、熱帯魚《ねったいぎょ》のいる水槽《すいそう》の水かえを事務長《じむちょう》に頼《たの》まれ、まるで亡《な》くなった伸二になったように、皆《みな》に可愛《かわい》いがられる。お昼は診療所《しんりょうじょ》の食堂《しょくどう》で食べろって言うのに、律儀《りちぎ》に、家に帰って食べてくる。

午後は、「夢二くん、夏祭りの金魚すくいの紙はり手伝《てつだ》って」とボランティアさんに頼《たの》まれたり、挙句《あげく》は、「力貸《か》して下さーい」と風呂場《ふろば》で叫《さけ》ぶナースの所に馳《は》せ参《さん》じ、「よいしょっ」と末期《まつき》の患者《かんじゃ》さんを浴槽《よくそう》から引き上げ、ストレッチャーに移《うつ》すのを手《て》伝《つだ》ったりしていた。

## 生まれた日に死ぬ人

お風呂《ふろ》の浴槽《よくそう》から出てきたのは、三日前に入院したすずばあさん、九十歳《さい》。肺《はい》がん＋アルツハイマー病。夢二のほっぺさわって、「カボチャ、モニモニ」と言った。すずさんを8号室にみんなで運んだあと、ぼくは夢二とカンファランスルームに入った。クーラーのスイッチ、ＯＮ。カンファランスルームは三畳《じょう》くらい。すぐ冷《ひ》える。「死ぬのだったら、ムシムシする夏じゃない方がいいな。夢二は？」。夢二、急に変《へん》な質《しつ》問《もん》されてうろたえてる。「季節《きせつ》っていうんじゃなくて、死にたくない。ダメ？」「そうだけど、でも冬？」「冬も死にたくない。どうしてもなら、春先」。春先かあ、と思った。「どうして春先？」「寒いけど、もうすぐ春だぞー、あの感じ好《す》き」。もちろん死は、人が望《のぞ》む季節《きせつ》には来てくれない。どの季節《きせつ》の死でも、誰《だれ》もが承知《しょうち》する。「春先もいいなあ」とぼく。「あんね、すずばあさんのこと、どう思った？」「がんとアルツハイマーって、二つも大きな病気持って、大変《たいへん》だなって」「ほんとに大変《たいへん》そうだった？」

「ぼくにカボチャって、なんだか面白《おもしろ》かったところもあった」。ぼくは夢二に話した。すずさん、呪文《じゅもん》みたいに、「デーサービス」「かぼちゃ」「防空壕《ぼうくうごう》」の三つの単語《たんご》を脈絡《みゃくらく》なく登場させる。「苦しい？」って聞いても、「デーサービス」って答えたり。アルツハイマーのおかげで、苦しさがまぎれている。すずさんのようながんを「天寿《てんじゅ》がん」って呼《よ》ぶ。「天寿《てんじゅ》がん？　天寿全《てんじゅまっと》うの天寿《てんじゅ》？」と夢二は素頓狂《すっとんきょう》な声を出した。「がんってこわいって思ってたのに、天寿《てんじゅ》っていう言葉が付《つ》いて、天寿《てんじゅ》って、いい言葉だし、がんも悪いだけじゃないいんだって思った」と夢二。夢二、中二とは思えない、いい分析《ぶんせき》をしてくれるじゃん。

ぼくはフッと、天寿《てんじゅ》がんの反対にあるような言葉を夢二に知ってもらおうと思った。「じゃあ、生まれてきたその日に死んじゃうのを何て呼《よ》ぶと思う？」「そんなことあるの？」と夢二、きょとん、としている。お母さんのおなかの中ですでに難《むずか》しい病気があったり、出産時《しゅっさん》の事故《じこ》で、地上に生まれ出たのに、治療《ちりょう》をあれこれ施《ほどこ》しても死を迎《むか》えなければならなかった死、あるんだよ。『生誕死《せいたんし》』って呼《よ》ぶ。夢二、身動きしない。

「初《はじ》めて聞く、その言葉。そんな人、見たことあるの？」ある。女の子だった。「どんな人だった」と夢二。ぼくは夢二が、「人」と呼《よ》ぶのに驚《おどろ》いた。きれいな紫色《むらさきいろ》の、目鼻がくっきりした人。人格《じんかく》がすでにある、と感じた。その子が遊んでいる声が聞こえた。小学校に入学する姿《すがた》が浮《う》かんだ。成人式《せいじんしき》で和服を着てる姿《すがた》も見えた。「たった一日？」。その子は六時間くらいで亡《な》くなった。夢二に教えるつもりだったのに、ぼくの方があの時のあの娘《むすめ》を思い出して、『生誕死《せいたんし》』『生誕死《せいたんし》』と、心の中でくり返していた。

## ボストンバッグ／あさって

天寿《てんじゅ》がんも生誕《せいたん》死も夢二からは離《はな》れすぎ。夢二と同世代の人の死を語る方が夢二にはピンと来るのに。あったかな、なかったかな。ぼくはカンファランスルームの机《つくえ》に肘《ひじ》をつき、肘《ひじ》に顔をのせ考えた。

そうだ、中二と違《ちが》って高二。高二の鈴木明《すずきあきら》くんがいた。あれも真夏だった。「あんね、バスケット部の高校生、訴《うった》えは血痰《けったん》だった」。ぼくは鈴木くんのことを話した。夢二、また真剣《しんけん》な顔して聞いてる。高二、というだけで他人事じゃないみたい。

病名は縦隔腫瘍《じゅうかくしゅよう》。珍《めずら》しい病気。ここ、この胸骨《きょうこつ》の下のあたりに腫瘍《しゅよう》ができた。悪性《あくせい》。両肺《りょうはい》への多発転移《たはってんい》。鈴木くん、「がんですか？　がんなら俺《おれ》、病院から飛《と》び降《お》りますっ」って。参《まい》ったよ。「違《ちが》うよ、がんじゃないよ、腫瘍《しゅよう》だよ」って。入院した。看護《かんご》記録《きろく》読んでびっくり。ビール、毎日大一本、タバコ一日二十本、趣味《しゅみ》、ボランティア。今ごろの若《わか》い奴《やつ》、わからんわって思った。そしたらあくる日、ボランティアのカップルが見舞《みま》いに来てて、きれいなトルコキキョウの花持ってね。「花言葉は？」って聞いたら奴《やつ》ら、「サヨナラ、です」って、参《まい》った。腫瘍《しゅよう》は一度小さくなって、また大きくなった。「先生、俺《おれ》、変《へん》な言い方だけど、弱い人、助けたいんだ。将来《しょうらい》、理学療法《りょうほう》士《し》、なりたいけどなれますかねえー」。「なれるよ、でも、一浪《いちろう》くらいは覚悟《かくご》だぞー」。鈴木くん、亡《な》くなった。亡《な》くなった時、ボールペンで左手背《ひだりしゅはい》に書いてあった二つの言葉が、今でも忘《わす》れられないよ。「なんて、書いてあったの？」と夢二。〈ボストンバッ

グ／あさって〉って書いてあった。なんだろう、この言葉。

## 死んだら星になる

ツクツクボウシが鳴きだした。夏も進行する。診療所《しんりょうじょ》の夏祭りの日がやってきた。ガレージにお店がでる。焼《や》きソバ、焼《や》き鳥《とり》、金魚すくい、園芸店《えんげいてん》、綿菓子《わたがし》、かき氷、生ビール店。夢二はかき氷屋をやっていた。入院患者《かんじゃ》さんの家族と思われる小学四年生を弟子《でし》にして、「いらっしゃい、いちごにレモンに宇治《うじ》ミルク、金時もあるよー」と、普通《ふつう》の中二みたいだった。

お客さんが来ないとみると、焼《や》きソバ券《けん》二枚《まい》を小四に渡《わた》し、二人でうまそうに食べていた。日が落ちて、夜八時、パンパン、ドドドドーンと花火が始まった。診療所《しんりょうじょ》のそばを流れる千代川《せんだいがわ》の恒例《こうれい》の花火大会だ。みんなが屋上を目指す。「夢二くーん」。病《びょう》棟《とう》の看護婦《かんごふ》さんに呼《よ》ばれている。エレベーターで、ベッドのまま患者《かんじゃ》さんを屋上に運んだり、車椅子《くるまいす》に乗せて運んだりするのを、夢二は手伝《てつだ》う。屋上に集《つど》った七十人くらいの人が、それぞれの場所で、夜空に上がる花火を見入る。それぞれの思いで、闇《やみ》の花火を見る。

夢二もぼくも花火に見入る。「きれい」「きれいだなあ」。この花火を見ると、他界していった何人もの人のことを思い出す。「花火、見たいなあ」と言って、花火の日の前の日に亡《な》くなった竹内《たけうち》とし子さんのことも思い出す。

屋上に、二年前にお母さんを失《な》くした娘《むすめ》さんが、二歳《さい》の子供《こども》を連《つ》れて来ていた。亡《な》くなった時、娘《むすめ》さんのおなかに赤ちゃんができていた。あの時、命のリレーということを感じた。「母は、ここにいませんよねえ」と笑《わら》いながら話し、ドーンと上がった花火を子供《こども》といっしょに見ていた。あっ、友田《ともだ》なさんのご主人、それに中二の亜希《あき》と小三の由美《ゆみ》がいた。びっくり。ご主人、元気になってる。亜希も由美も、二人とも大きくなってる。焼《や》きソバ食べながら、「わあ、きれい」を連発《れんぱつ》。亜希も夢二も、お互《たが》い気《き》が付《つ》いたみたい。二人とも頭をちょっと下げ合った。

ドーンドーン、パッパッパッパッパー。次々に打ち上がっていった。ぼくは、「夢二、

ちょっと」と声を掛《か》けた。「車で、海、行こう。すぐ帰るから」。

海に行く道は車がまばら。十五分で海辺《うみべ》に着いた。高台のラッキョ畑の中の道を走った。北の方角に海が見える。漁火《いさりび》がいくつもきれいに見える。まわりは真っ暗。「夢二、あれ、知ってる？」。ぼくは、車のトランクからゴザを二枚《まい》取り出し、草の上に寝《ね》ころんで夜空を指さす。「知ってる、北斗七星《ほくとしちせい》」。「じゃあ、あれは？」「カシオペア」。夢二、習ったばっかりなんだろうか、よく知っていた。「じゃあ、北極星《ほっきょくせい》は？」。夢二、これには困《こま》った。「あれ」とぼく。「どれ？」と夢二。「あれ？　北極星《ほっきょくせい》って、結構《けっこう》暗いんだ」。

ベガ、デネブ、アルタイルの夏の三角形も教えた。夢二、これも初《はじ》めてだったみたい。寝《ね》ころんで、闇《やみ》の中の光を見ていると、波の音が天の川の方から聞こえてくるようだった。「死んだら星になるって、信《しん》じる？」って聞いてやった。夢二、「わからん、でも、それ、好《す》き」って。ぼくには、またある言葉が思い浮《う》かんだ。「夢二、死んだあともその人が、宇宙《うちゅう》のどこか、人の心のどこかで生きている、そのことを何て言う

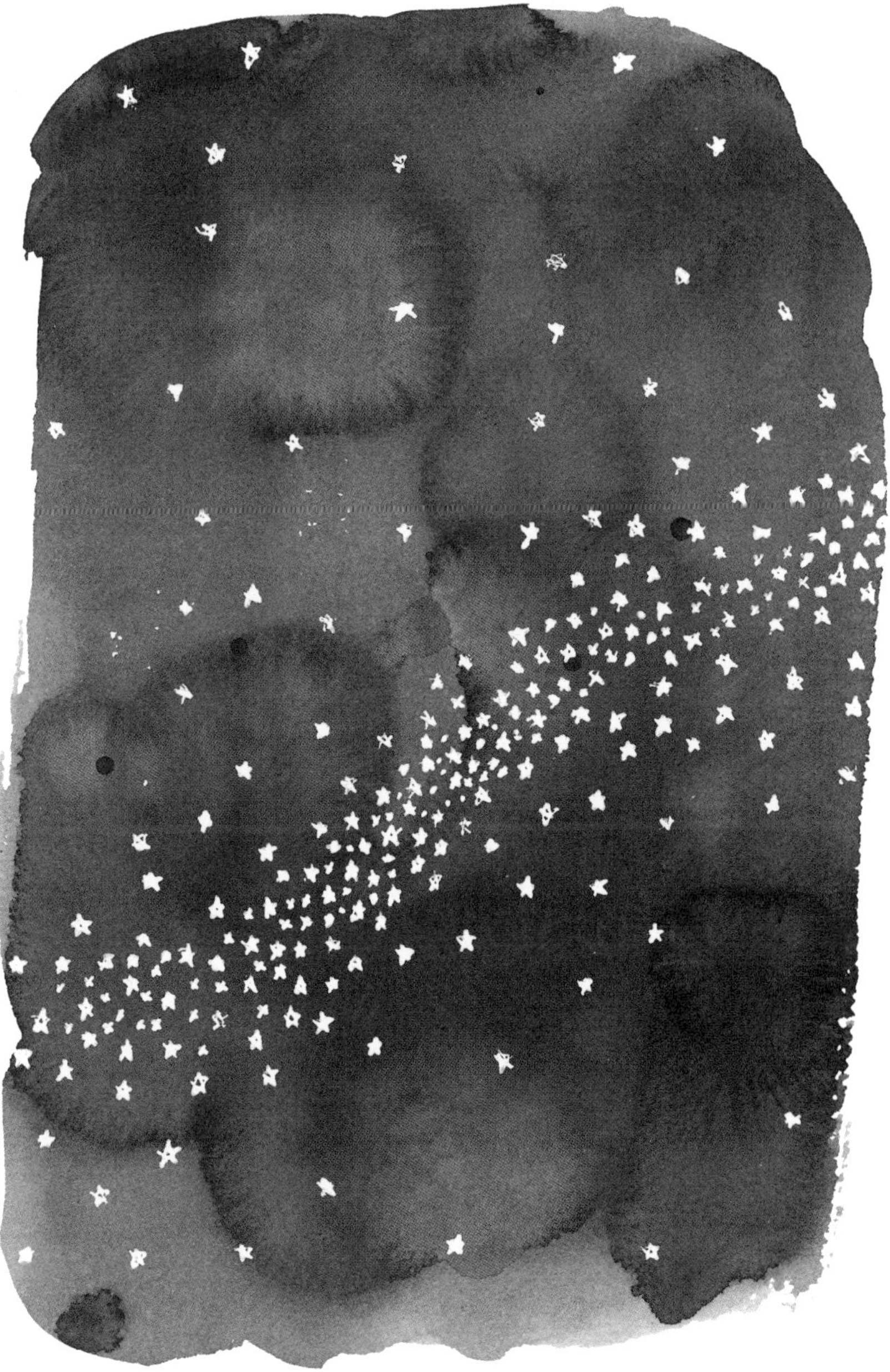

と思う?」。夢二、夜空を見上げている。闇《やみ》の中の点状《てんじょう》の光、無音《むおん》の音が聞こえるような、聞こえないような大空。風が吹《ふ》く。波の音が、今度は海の方から聞こえる。『死後生《しごせい》』。なかなか、いい言葉だろ。夢二、ピクとも動かず、夜空の星をじいっと見つめている。『死後星《しごせい》』の方がいいかあ。夢二、動かず。

# おばあちゃん、助けたい

## 今日は往診日《おうしんび》

秋晴れのいい日、今日は家で療養《りょうよう》している患者《かんじゃ》たちのところに往診《おうしん》にでかける。夢二も連れて行くことにした。「夢二、出発するぞ」。珍《めずら》しく、夢二、すぐに二階の病棟《びょうとう》から降《お》りてきて、車に乗った。

車は国道29号線を走り、途中《とちゅう》から町道に変《か》わり、小さなJRの駅の前の道を通って、水田に囲《かこ》まれた高校の前を通って、谷の道を奥《おく》へと走る。畦《あぜ》に真紅《しんく》の花が群《む》れて咲《さ》く。「知ってるあの花?」。夢二、「えーと」と何か思い出そうとしている。「はなびばな」。

すごい名前を知ってた。「彼岸花《ひがんばな》、もう一つ、曼珠沙華《まんじゅしゃげ》。それと、あかおに、かじばな、はなぢょうちん。もっとあってね、きつねのかんざし、ちんちんどうろう」と教えてやった。夢二、目をきょろきょろ、びっくりしている。こうべを垂《た》れる黄色の稲《いな》穂《ほ》、その上を赤トンボが遊んでいる。「こんな遠くの谷までくるの？」と夢二。車で三十五分、大したことはない。

「ごめん下さーい」。返事がない。「あらあ、先生、こっちです」とフサエばあさんがお百姓《ひゃくしょう》さん姿《すがた》で作業小屋から顔出した。「さあ、こっち行きましょう」。ぼくと夢二が案内《あんない》されたところは、梨畑《なしばたけ》。「ぼくちゃん、取りましょう。大きそうなの、取りましょう」。二十世紀梨《にじっせいきなし》と違《ちが》う種類《しゅるい》で、豊水《ほうすい》という梨《なし》。「いや、梨狩《なしが》りじゃなく、往診《おうしん》、往《おう》診《しん》なんだけど」とぼく。「ハハ、そうだったね」とフサエさん、やっと自分の部屋《へや》に帰ってくれた。八十八歳《さい》、胆《たん》のうがんの末期《まつき》。フサエさんの部屋《へや》から、野道が見え、黄色くなった水田が見え、里山が見える。その部屋《へや》で診察《しんさつ》。黄疸《おうだん》がはっきりしてきた。

「死はこわいことはありません。でも、もういけんようになったら、先生、苦しまんように逝《い》かせて下さいよ」「家がいい？」とぼく。「そりゃあ、家で死ねたら一番ですよ、ね、ぼくちゃん？」。夢二、しどろもどろかと思ったら、フサエさんの顔をちゃんと見てる。「さあこれ、みんなで食べて。これはぼくちゃんのね」。豊水《ほうすい》を袋《ふくろ》に一杯《いっぱい》もらって、フサエさん宅《たく》を失礼《しつれい》した。夢二は豊水《ほうすい》が五個《こ》入った袋《ふくろ》を持っている。死のすぐそばまで、普通《ふつう》の生活ができるってすごいね、とぼくは車の中で独《ひと》り言《ごと》。

## おっちぬ

車は街《まち》に戻《もど》ってきた。旧《ふる》い神社の入り口にあるアパートのインターフォンを押《お》した。「はーい、どうぞー」。五十三歳《さい》の中沢悦子《なかざわえつこ》さんと二十二歳《さい》の娘《むすめ》の沙織《さおり》さん。「咳止《せき》まらんで、息ちょっとえらいんよ。先生、だーれ、この可愛《かわい》い光源氏《ひかるげんじ》の君は」「君、自己紹介《じこしょうかい》しろよ」「源氏《げんじ》じゃなく、夢二です」。「うまい！」悦子さん、笑《わら》った。

悦子さんは乳《にゅう》がんで、胸水《きょうすい》もたまり、あちこちの骨《ほね》に転移《てんい》している。少しなら歩ける。家は尾道《おのみち》。ただフラーと鳥取《じっとり》にやってきて、アパート借《か》りて、ぼくに末期《まっき》の往診《おうしん》を依頼《いらい》してきた。「先生、私《わたし》、おっちんでもええんよ。でも、尾道《おのみち》じゃなく、鳥取《とっとり》でおっちなせて。おっちぬ時、先生、私《わたし》の手、取ってね」。「もちろん、いいよ」「よろしくお願《ねが》いします」と、代理人の沙織が頭を下げた。

「かあさん、じゃあ私《わたし》、スーパー、買い物行くね」「マヨネーズとミソ、忘《わす》れないでよ。あっ、納豆《なっとう》とミョウガとゴーヤも」「わかってます」

沙織が出ていくと、悦子さんがポソッと言った。「おっちんでも、ここで骨《ほね》になって帰りたい。できる？　葬式《そうしき》もなんもせん。お通夜《つや》、診療所《しんりょうじょ》でできる？」。ぼくは「大丈夫《だいじょうぶ》、大丈夫《だいじょうぶ》」と答えた。咳《せき》を減《へ》らすために、モルヒネの錠剤《じょうざい》を増《ふ》やすことを提《てい》案《あん》して、アパートを出た。車の中で夢二が、「おっちぬ、って、何？」と聞いた。「死ぬこと」と答えた。死ぬことを〈おっちぬ〉と言うと、死に少しユーモアが流れ、「俺《おれ》もそろそろおっちぬか」と啖呵《たんか》を切ってみたりすると、死が気楽に思え面白《おもしろ》い、と夢二に言うと、「そうかなあ」と怪訝《けげん》そうな顔をしていた。

# 夢二におばあちゃんがいた

車が診療所《しんりょうじょ》に戻《もど》ってきた時である。「あのー」と夢二が言った。「もう一軒《けん》、往診《おうしん》に行って欲《ほ》しいとこがあるんですが」。夢二、何を言い出すんだろう。「はあ?」と聞き返した。同じことを夢二、答えた。

「どこに?」「うち」「どこのうち?」「ぼくの」「どうして?」「おばあちゃん、診《み》て欲《ほ》しい」「どうして?」「小腸《しょうちょう》のがん」。どうなってるんだろう。夢二、ほんとのこと言ってるんだろうか。「手術《しゅじゅつ》は?」「した。三年前。でも今年の春ごろから悪くなって、がんが骨《ほね》や皮膚《ひふ》にしみ出してる」

夢二の突然《とつぜん》の報告《ほうこく》で、ぼくはびっくり。とにかく家の方角を聞かねばならない。「白兎《はくと》海岸の近くの団地《だんち》の三階」。車で二十分くらいの所だ。夢二自身がそういうことの渦中《かちゅう》にあるのか、ほんとなんだろうか、とまだ信《しん》じられなかった。そう言えば、夢二のこと、今まで聞かずにいた。だから、ほんとは夢二のこと、なーんも知らない。

夢二は、定時制高校《ていじせいこうこう》に通っているちょっと荒《あ》れた姉さんと、二人きょうだい。お父さんは夢二が小学生になる前、お母さんと離婚《りこん》していた。お母さんは、夢二が小学四年生の時、事故で亡《な》くなった。夢二は姉さんとおばあちゃんとの三人暮《ぐ》らしだった。「食べることは？」と聞いてみた。「おばあちゃんがしていた。おばあちゃん、そのころ、元気。そこ、そこを左に」。右側《みぎがわ》に日本海が見える。白兎《はくと》海岸だ。それを左に曲がって、次の三叉路《さんさろ》を右に曲がると、ちょっと古い団地《だんち》が見えた。C51棟《とう》。その三階。「先生、上がって。こっち、おばあちゃん、こっち」。夢二から先生と呼《よ》ばれて、不似合《にあ》いな気がした。夢二、ほんとなんだ、と思えだした。重いドアを開け、足を踏《ふ》み入《い》れた。「ああ、先生ですか。夢二がいつもお世話になってます」。ほんとに、おばあちゃんがいた。おばあちゃんはきちんと座《すわ》ってあいさつをした。簡易《かんい》ベッドだった。顔は貧血《ひんけつ》が進んで白っぽい。両下肢《りょうかし》にむくみがある。「先生、私《わたし》ね、もう自分のことわかってるんです。お金もありませんしね、家で死のう、思ってるんです。夢二にも、おばあちゃん家で死にたいけど、いい？　って聞いてるんです。」上品で、しっかりとしたおばあちゃんだ。「夢二君、どう答えてくれてます？」「それがね、いいともいけないとも言わないんですよ」。ぼくは、夢二が、教科書やビデオや診療所《しんりょうじょ》の他人さまから学ぶ生ぬるいものじゃなくて、現実《げんじつ》のわが身のこととして死のほんとうに向き合っていると知って、虚《きょ》をつかれた。

三時間以上《いじょう》待ってたのに来なかった日があったこと、お父さんやお母さんのことを聞いても答えなかったこと、亜希をじいっと見つめていたあの顔、その一つ一つのことが思い出されてきた。「夢二、ここ、ガーゼ替《か》えて欲《ほ》しい」とおばあちゃん。ぼくが往診《おうしん》セットをあけて、ピンセットを取ろうとすると、夢二はもうガーゼを取りはずし、綿棒《めんぼう》で消毒《しょうどく》していた。慣《な》れた手つき。おばあちゃんの腫瘍《しゅよう》、骨《ほね》や皮膚《ひふ》に浸潤《しんじゅん》し、まるで小さな火山の爆発《ばくはつ》のようだ。夢二、それをじいっと見て、ガーゼを厚目《あつめ》にあてている。ぼくはその上に別《べつ》のパットをあてた。

「先生、足に力が入りませんでね、ポータブルトイレまでが一仕事」とおばあちゃんが言った時だった。プルル、プルルと電話が鳴った。夢二の友《とも》だちからのようだった。

ぼくは訪問看護《ほうもんかんご》と往診《おうしん》の総力《そうりょく》をあげてお世話しなきゃあ、と考えを巡《めぐ》らした。ぼくらにとっても大切な場面だ、と思った。

「おばあちゃん、たかしが十五分だけ話そうって、ちょっとだけ出てもいい？」。夢二がおばあちゃんに聞いた。「だめ、夢二。あんたの友だちの十五分はいつも一時間以上だから。おばあちゃん、今日はしんどい。夢二にそばにいて欲《ほ》しいの、先生も来て下さってるし」。夢二は、「ごめん」と電話を切った。切って、フサエばあさんのとこでもらった梨《なし》をむき始めた。ちゃんとむけてる。急に夢二の生活が見えてきた。

「以前《いぜん》は台所になんとか立てたんです。三か月前からダメです。この子が立ってくれてるんです。それより何より、トイレがダメになってきました」。気配でしかわからないけど、夢二、買い物も台所もゴミ出しも、それにおばあちゃんのオムツの始末《しまつ》もしているようだった。

「ここ、痛《いた》む」とおばあちゃんが言うと、夢二、「ここ？　どこ？　ここ？」と、腫瘍《しゅよう》が噴火《ふんか》しているあたり、そこから離《はな》れた背中《せなか》をさすった。「ありがとう、少し楽になった。寝《ね》させてくれる？　いい？」。おばあちゃんはベッドに横になった。「この子にはいろんな悲しい目、合わせました。私《わたし》まで世話させて。でも、私《わたし》、この子の世話になって、ここで死のうと決めたんです。夕べ、そう言ったんです」。

## 問いが消えてゆく

おばあちゃんが、家で過《す》ごせるように、酸素《さんそ》の器械《きかい》や、痰《たん》を吸引《きゅういん》する器械《きかい》、点滴《てんてき》がいつでもできる処置《しょち》、輸血《ゆけつ》の予定などについて二人に話をした。「よろしくお願《ねが》いしますとおばあちゃん。ぼくは夢二を外に連《つ》れ出した。車に乗せ白兎《はくと》海岸で止め、波打ち際《ぎわ》まで走った。

「すごいよ、夢二」、ぼくは夢二をたたえた。中二でここまでやれる奴《やつ》がいたことに、驚《おどろ》いた。「明日から毎日、看護婦《かんごふ》さん、来るから」と言うと、夢二、ホッとした顔になった。やっぱり中二の顔だ。秋の日本海の白い波が押《お》し寄《よ》せた。夢二に、「死ぬのはこわい？」と問うのはやめた。夢二はちゃんと、死に直面している。問いは消えていった。

夢二は、波の音に負けないような大きな声で言った。「あのー、ぼく、おばあちゃん、助けたい」。ぼくは助けるという意味を説明《せつめい》しかけたがやめて、夢二と握手《あくしゅ》した。ぼくが夢二の死の案内《あんない》人のつもりだったのに、夢二の方がぼくの死の案内人《あんないにん》になっている、と思った。ドドドー、ドドドーと、冬の到来《とうらい》を予感させるような、日本海の波の音が響《ひび》いていた。

# あとがきにかえて

谷川俊太郎

理学療法士になりたかった高二の鈴木くんが、左手背にボールペンで書いたという二つの言葉を見ているうちに、いつの間にかぼくは鈴木くんになったつもりで夢二に語りかけていました。

## あさってとボストンバッグ

鈴木から夢二に

あさってはやってきたときには
今日になってる
あさってはあさってのままでは
いつまでたってもやってこないが

今日をふりすてて
明日をとびこえて
いきなりあさってに旅だつ
それが死ぬこと（かな？）

ボストンバッグに入れるのは
たったひとつ
自分のタマシイだけ
けっして死なないタマシイだけ

タマシイは青空に溶け込み
遠い星まで行って

またここへ帰ってくる
大好きな人のもとへ

死を形容するコトバは
「安らか」で決まり！
生きてるときには分からなかったが
あさってにいるいまのぼくには分かる

ぼくは誰にも
さよならは言わなかった
だってきっとまた会えるんだもの
もうコトバの要らないところで

増《ぞう》補《ほ》

# 夜中の原っぱ

夢二のおばあちゃんは亡《な》くなった。亡《な》くなる時おばあちゃんは言った。「葬式《そうしき》は質素《しっそ》でいいよ、でも花はけちらんといて」。夢二はどう反応《はんのう》していいものか、困《こま》った。県営《けんえい》住宅《じゅうたく》の三階《かい》で、棺《ひつぎ》が家の中には入らない。一日経《た》って、夢二と看護師《かんごし》と夢二のお母さんとぼくの四人で、おばあちゃんを抱《だ》き抱《かか》え階段《かいだん》をくるくると回って、一階の地べたの棺《ひつぎ》におばあちゃんを入れた。納棺《のうかん》。白い花を沢山《たくさん》入れた。棺《ひつぎ》は往診車《おうしんしゃ》に乗《の》せた。運転手はぼく。夢二は後部座席《こうぶざせき》。後方《こうほう》に家族の人たちが乗《の》った車。「診療所《しんりょうじょ》って葬儀屋《そうぎや》もやるの？」とボソッと夢二。「違《ちが》う、違《ちが》う。こんなの稀《まれ》の稀《まれ》」。霊場《れいじょう》に着くと係《かかり》の人が待っててくれ、あとは夢二とその家族にまかせた。

夕方だったと思う。銀の布《ぬの》で包《つつ》まれた箱《はこ》を持ったお母さんと夢二が診療所《しんりょうじょ》に来た。あちらこちらの窓《まど》ガラス、それに部屋や廊下《ろうか》の床《ゆか》を拭《ふ》いていたから、診療所《しんりようじよ》は夢二のホームグランドみたいなもの。「ほんとに何から何までお世話《せわ》になりました」とお母さん。一階の黄緑色《きみどりいろ》のエレベーターの前で一礼《いちれい》。夢二も。夢二が言った。「ぼ、ぼく、将来《しようらい》、看護師《かんごし》になりたいです」。どうしたんだろう、こんな時、こんな所で。「すごい、がんばれー」と答えて励《はげ》ますような場面、ぼくの返答《へんとう》は突飛《とつぴ》なもの。「気は変わる、無理すんな」。拍子抜《ひようしぬ》けの夢二、笑うお母さん。「ほんとに助《たす》けていただきました」。二人がまた一礼《いちれい》した。

夢二の姿《すがた》はそれ以来《いらい》見えなくなった。診療所《しんりようじよ》にひょこっと顔を出すかも、と思ったりもしたが顔は出さない。顔だけじゃなく足も声も出さない。一年後も二年後も姿《すがた》は見えず。三年後も五年後も。風のたよりだと夢二、介護福祉専門学校《かいごふくしせんもんがつこう》に通っているそうだ。その何年後かに、市内の老人福祉施設《ろうじんふくししせつ》で介護士《かいごし》として働《はたら》いている、と聞いた。またその何年後かに、看護学校《かんごがつこう》に通ってると聞いた。さらに数年後に看護師《かんごし》になり、ぼくも勤務医《きんむい》として働《はたら》いていた市内の総合病院《そうごうびょういん》で看護師《かんごし》として働《はたら》いている、と聞いた。彼なりの夢《ゆめ》を果《は》たしたんだ、おばあちゃんの病気や死を支《ささ》えに。「夢二やるぅー」と思った。「病気って何？」。「老《お》いるって何？」、「死って何？」、「人間って何？」、「いのちって何？」、「助けるって何？」、夢二に聞いてみたくなった。きっとほんとはそれどころじゃないと思う。毎日の業務《ぎょうむ》に追《お》われ、ナースコールに追《お》われ、時には患者《かんじゃ》さんに叱《しか》られ、家族に苦情《くじょう》を言われ、上司《じょうし》から厳《きび》しい言葉を浴《あ》びせられ、ヘトヘトになってアパートに帰ってるに違いない。だからこそ、さっきの質問《しつもん》をそんな夢二に浴《あ》びせてみたい。夏、汗《あせ》だくになった体に冷《つめ》たいシャワーの水が身《み》を引《ひ》き締めてくれるように、大切な言葉のシャワーを浴《あ》びせてみたい。答えなんか期待《きたい》しない。別にそれを聞きたいわけじゃない。ただ言葉のシャワーを浴《あ》びせてみたい。浴《あ》びせてやりたい、だけ。

夢二、生きるって大変だよね。もちろん死ぬことも大変。先日、ある本を読んだ。海外医療《かいがいいりょう》のボランティア団体《だんたい》に所属《しょぞく》している看護師《かんごし》がシリア内戦のある場面を書いていた。地雷《じらい》で被害《ひがい》に遭《あ》った父親と四歳の娘《むすめ》さん。父は両足両手切断《せつだん》、娘《むすめ》は腸管《ちょうかん》が飛《と》び出《で》て人工肛門《じんこうこうもん》。その二人が並《なら》んだベッドで変《か》わり果《は》てた姿《すがた》をお互《たが》いに見つめ合っている、という野戦病院《やせんびょういん》での場面。その場から逃《に》げ出しそうだった、とその看護師《かんごし》は書いていたよ。

今地上で、いや空でも海でも、起こってることは相当に悲惨《ひさん》。地球がいのちの危機《きき》のさなかにある、と言えると思うな。核《かく》のことだって、気象《きしょう》や災害《さいがい》のことだって。いつかはおさまって穏《おだ》やかな日常《にちじょう》が戻《もど》るよ、と以前《いぜん》は思ってたけど、そんなことはもう無理だと思う。ぼくたちに何ができる？　何をすればいい？　夢二、ぼくも年を取って、今まで見えてた星が見えにくくなった。冬のオリオン座《ざ》の真《ま》ん中《なか》の三《み》つ星《ぼし》の光がうっすらとしか見えず、宇宙《うちゅう》も変っていく、星たちも老《お》いていくと思ったら違《ちが》ってたよ。老《お》いたのはぼくの方で老人性白内障《ろうじんせいはくないしょう》。お医者さんに手術《しゅじゅつ》をすすめられ、濁《にご》った水晶体《すいしょうたい》を取《と》り除《のぞ》き、眼内《がんない》レンズに替《か》えてもらった。目を手術《しゅじゅつ》する。少しこわかった。「医者でもこわいことあるんか？」と夢二に突《つ》っ込《こ》まれそうだけど、そんなのみんなと同じ。「桃《もも》やスイカやメロン、おいしい」とみんなが思うように（中には嫌《きら》いな人もあるけど）、医者もおいしい、と思うようなもんで、こわいものはこわい。

夢二とまたいつか、夜中、原っぱにゴザ持って行きたいな。寝《ね》るんだゴザの上に、一人一枚。真《ま》っ暗《くら》な原っぱで夜空《よぞら》を見る。満天《まんてん》の星。あの時いっしょに見たのは冬の三角形、いや夏の三角形も見たかな。今だとカシオペアも北斗七星《ほくとしちせい》もくっきり見える。夜《よ》更《ふ》けだと、ぼくの好きな木星が東の空に現《あら》われる。微小《びしょう》な星がたくさん見える。死んだら星になる、って嘘《うそ》じゃないかも、と思うくらいたくさんの星が夜空《よぞら》にいる。じぃーとただ星たちを見てると、きっと夢二に問《と》うた問《と》いたちが浮かんでくる。答えと言えるような答え、ではないけど何か答えみたいなものが一瞬《いっしゅん》見える。大切な何か。流れ星のように一瞬《いっしゅん》。夢二となら夜空《よぞら》見ながら、誰《だれ》にも聞こえない声でムゴムゴと宙《ちゅう》に向って言い合ってみたい気がする。そしたらしばらくして、遠い夜空《よぞら》から「ムヒョムヒョ」と返ってくるかも知れない。

二〇二三年・夏の日

# 谷川俊太郎《たにかわしゅんたろう》さんからの四つの質問《しつもん》への徳永《とくなが》 進《すすむ》さんのこたえ

「何がいちばん大切ですか？」

この聴診器《ちょうしんき》と2Bの鉛筆《えんぴつ》。


「誰《だれ》がいちばん好《す》きですか？」

この夢二《ゆめじ》。


「何がいちばんいやですか？」

誤診《ごしん》、急変《きゅうへん》、閑古鳥《かんこどり》。


「死んだらどこへ行きますか？」

住人少数の宇宙星《うちゅうぼし》。住人一人星も可。

徳永 進（とくなが・すすむ）1948年、鳥取生まれ。医師、ノンフィクション作家。京都大学医学部卒業後、京都、大阪の病院勤務を経て、鳥取赤十字病院の内科医として勤務。2001年12月、鳥取市内にホスピスケアのある19床の「野の花診療所」を始める。診療所の方針に、「人の悩みから出発する」「患者さんの希望と選択を支える」「昼の雲、夜の星を大切にする」の三つを掲げ、いい最期を見届けていく医療を展開。地域のかかりつけ医療機関として、健康管理、保健・福祉サービスに関する相談にも対応。1992年、独自の信念で地域医療をしている人に贈られる若月賞（第1回）を受賞。著書に、『死の中の笑み』（第4回講談社ノンフィクション賞受賞）『死のリハーサル』（ともにゆみる出版）『野の花診療所まえ』（講談社）『死の文化を豊かに』（筑摩書房）『増補・隔離――故郷を追われたハンセン病者たち』『心のくすり箱』『老いるもよし』（ともに岩波書店）『まぁるい死――鳥取・ホスピス診療所の看取り』（朝日新聞出版）など。共著書に、『死と詩を結ぶもの――詩人と医師の往復書簡』（谷川俊太郎と、朝日新書）『ケアの宛先――臨床医、臨床哲学を学びに行く』（鷲田清一と、雲母書房）『看取るあなたへ――終末期医療の最前線で見えたこと』（細谷亮太らと、河出書房新社）ほか多数。近刊に、『いのちのそばで』（朝日新聞出版）。

**増補新版 死ぬのは、こわい？**

2024年1月20日　初版第1刷発行

よりみちパン!セ®
YP13

著　者　徳永 進
発行者　塩浦 暲
発行所　株式会社　新曜社

101-0051　東京都千代田区神田神保町3-9
Tel: 03-3264-4973　Fax: 03-3239-2958
e-mail: info@shin-yo-sha.co.jp
URL: https://www.shin-yo-sha.co.jp/

装画・挿画　100% ORANGE／及川賢治
ブックデザイン　祖父江 慎＋根本 匠（cozfish）
印刷・製本　中央精版印刷株式会社


Printed in Japan ISBN 978-4-7885-1833-9 C0095